JN115527

1分間思考法

素早く深く考えられる
哲学思考トレーニング

哲学者
小川仁志

PHP

はじめに　素早くかつ深く考える能力が求められる時代

いま、私たちはコロナ時代を生きているとよくいわれます。コロナ時代とはいったい何か？　それは「一寸先は闇」の時代なのではないでしょうか。次々と未曽有(みぞう)の事態が起こり、私たちはそれに対応していかなければならないからです。WHO（世界保健機関）によってパンデミックが宣言されて以来、私たちはまるでジェットコースターにでも乗っているかのような激しい変化の日々を過ごしてきました。

あらゆる場面で誰もが「変容」を求められ、心が休まらないと感じる方も多いことでしょう。しかし、仮にコロナ禍がなかったとしても、インターネット、AI、IoT、DXと、私たちに変容を求めるものは生まれつづけ、その加速度は増していくばかりです。

そこで、これほど「忙しい」時代に必要なものは何か？　それは**「素早くかつ深く考える能力」**です。ビジネスシーンに限らずとも、どんどん新しいことが生まれつづけ、それらに対して時間をかけて判断していく猶予はありません。まして、じっくり議論しましょうなどといった悠長なことはいっていられないのです。また、世にあふれる情報の中から、たしかなものを選び出すのも容易なことではなく、ようやく見つけた情報も即座に陳腐化していきます。スピードだけではなく、その深さがなければ流されるばかりでしょう。これまでもテクノロジーの進展とともに、私たち人間はより素早くかつより深く考える能力を求められてきましたが、コロナによってそれが決定的なものとなったのです。

本書は『1分間思考法』と題し、わずか1分間でも深い思考ができるようになる「哲学思考」を身につけていただくものです。詳細は本文にゆずりますが、**「深く考える」ためのツールである哲学は、じつは「素早く思考する」ためにも有効**です。哲学が難題に取り組む学問であるがゆえに、「難解なもの」というイメージを持つ方も多いと思いますが、その思考プロセスは非常にシンプルで、どんな問題にも応用できるものなのです。

本書では、その哲学思考を皆さんに身につけていただくために、そのノウハウを紹介したうえで、身近なちょっとした疑問（たとえば、お酒とは何か？）から、普遍的な難問まで、様々な問いに対してどのように応用するのかを、私自身が実践的に取り組んだものです。哲学思考が、読者の皆さんの思考（や物事の見方）をアップデートし、難題が山積するこれからの世界に一筋の光を見せてくれるものであると信じています。

1分間思考法　もくじ

2.

素朴な問い

周囲を見渡し問い直す

3. ビジネスの問い

見方しだいで違って見えるもの

4.

哲学的な問い

大きなものを自分の言葉で分解する

0.

1分間思考を始める前のガイダンス

なぜ1分間思考法が求められるのか？

はじめにでも述べた通り、本書の目的は「1分間」という短い時間で、素早くかつ、深く物事を考えられるようになることです。

そのための方法として、「哲学」の考え方を思考ツールという形で活用します。おそらく「哲学」と聞いて、「たった1分間で本当に思考ができるの？」「どうせ事前に膨大な知識が必要なんでしょ？」といった感想をお持ちの方もいるでしょう。

まず最初にお伝えしたいのは、**哲学の思考プロセスはとてもシンプル**だということです。具体的には、

① 疑う

② 視点を変える

③ 再構成する

の3つです。

しかも、どんな問題であっても基本的には、このたった3つのプロセスだけです。**膨大な時間をかけて難問に向き合うときも、それが限られた時間内で答えを必要とするものだったとしても基本となる思考プロセスは変わりません。**

もちろん、幅広い知識をもっていれば、より広い視点から物事をとらえることができるようになりますが、本書が目指すのは、知識を得てもらうことではなく、思考ツールとして哲学者の思考プロセスを習慣化してもらうことです。

考え方を身につけるというだけなら、簡単そうだと思ってもらえたのではないでしょうか。では、もう少し詳しく説明していきましょう。

そもそも「思考する」とはどういうことか？

まず、そもそも思考するとはどういうことかからはじめましょう。おそらく皆さんの頭の中では、思考するというのは、対象となっているテーマについて、それはどういう意味なのだろうかとか、なぜそういうことになっているのだろうかと思いをめぐらすことだと理解されているはずです。

それは間違いありません。ただ、その際、どのようにして思いをめぐらせているかが問題なのです。人間がこうやって疑問をもって、その意味を考える時には、常に「どうして？」とか「なぜ？」といった疑問を抱きます。そうでないと、思考なんて始まらないからです。当たり前だと思っていたら、考えることはありません。

ですから、まずは疑問を持つことこそが、思考することの始まりなのです。そのうえで、じゃあこれはいったい何なのか、どういうことなのかと、あれこれ思いをめぐらすことになります。この「あれこれ」が次のステップです。

「あれこれ」というのは、言い換えると、「色んな視点から」ということになります。そう、**私たちは対象がよくわからない時、色んな視点からそれをとらえようとする**のです。いや、逆にいうとそうしないと対象をとらえることなどできないのです。

仮に暗闇でお化けのようなものが見えたとしましょう。その時、「あれはお化けじゃない？」と疑った瞬間、じゃあ一体何なのか、高速で考えるはずです。理解できないと怖いですからね。何かの影じゃないかとか、動物じゃないかとか、光が反射しているんじゃないか……というふうに。

そうして色んな視点からの情報を総合して、いわば新たな情報を再構成して、答えを導き出していくはずです。これが「思考する」という営みです。このプロセスがしっかり踏まえられている時、深く思考しているとか、よく考えているとかいわれます。反対に、不十分なら思考が浅いといわれるのです。

そしてなんとこれは、哲学のプロセスでもあるのです！　**哲学とは、決してわけのわからないお説教ではなく、思考することそのもの**なのです。でも、そんなふうにいうと、ちょっとがっかりする人もいます。哲学が単なる思考と同じだとすると、ありがたみがないように感じるからかもしれません。

単なる思考と哲学的思考の違い

そんな方のためにあえていうと、哲学はたしかに単なる思考と少し違う部分があります。わかりやすくいうと、考える幅と深さが異なるのです。深く考えている時やよく考えている時、それは限りなく哲学に近くなります。単なる思考をする場合には、仮に色々な視点でとらえ直すにしても、その幅や深さには違いがあります。たとえば、目の前にあるパソコンを○○の視点でとらえるという時、普通はこの○○に入るのは、常識的に想定できるものになってしまいがちです。高齢者の視点でとか、せいぜいペットのネコの視点でとか、ちょっと尖った人ならエイリアンの視点でというように。

でも、哲学だともっと次元の異なる視点でとらえようとします。水の視点でとか、愛情の視点でとか、数字の6の視点でといったように。これが幅の話です。

深さも同じです。「なぜそうなるのか?」という点について、徹底的に考えます。これはどれだけ理屈を詰めて考えるかということであって、時間の問題ではありません。あいまいな理屈でお茶を濁すことはないということです。「なぜそうなるのか?」という問いを納得いくまで繰り返すのです。

その意味で、私はよくこんな表現をします。**単なる思考は常識の枠内で行なわれるけれども、哲学的思考は「常識の枠を超えて」行なわれる**と。それが大きな違いだと思います。具体的にどういうことなのかは、本文を読んでいくうちに徐々にわかってくると思います。ここではイメージだけつかんでください。

1分間をどう使うか？

最後に具体的に1分間をどう使うか、作業と理想的な目安の時間をお示ししてこのガイダンスを終えたいと思います。ここまでに紹介した哲学思考の3つのプロセスに、トレーニングとして2つの工程を加え説明します（17ページ図参照）。

01 イメージする 5秒
02 疑う 5秒
03 視点を変える 20秒
04 再構成する 20秒
05 言語化する 10秒

まずテーマ（問い）を見て、それについて一般的なイメージ（定義）を思い浮かべてください。

つづいてそのイメージ（定義）を疑います。最初は「そうじゃないかも？」と思うだけでも大丈夫です。

次に、少なくとも3つくらいの視点でとらえ直します。たとえば、逆にとらえたらとか、意外なものから見たらとか、自分が詳しい何らかの視点から見たらとか。これは何でもいいと思います。ご自身の仕事の視点でも、趣味の視点でも。

とはいえ、何もないところから考えるというのも難しいと思いますので、本書では本文の前にヒントとして私の視点を提示しています。また、3つめのヒントは、哲学者の物の見方とし、その下部には用語や哲学者のプロフィールをコラムとして入れています。著名な哲学者の考え方を知りたいという人はコラムから読んでもらうのもよいかもしれません。

そして、それらの視点からとらえ直したテーマについて、再構成します。ここは「あ、最初はこう思ったけれど、違ったな」という部分を取り上げれば十分です。

最後はそれを言語化してみてください。テーマを再定義するような感じです。

1分間をどのように使うか？

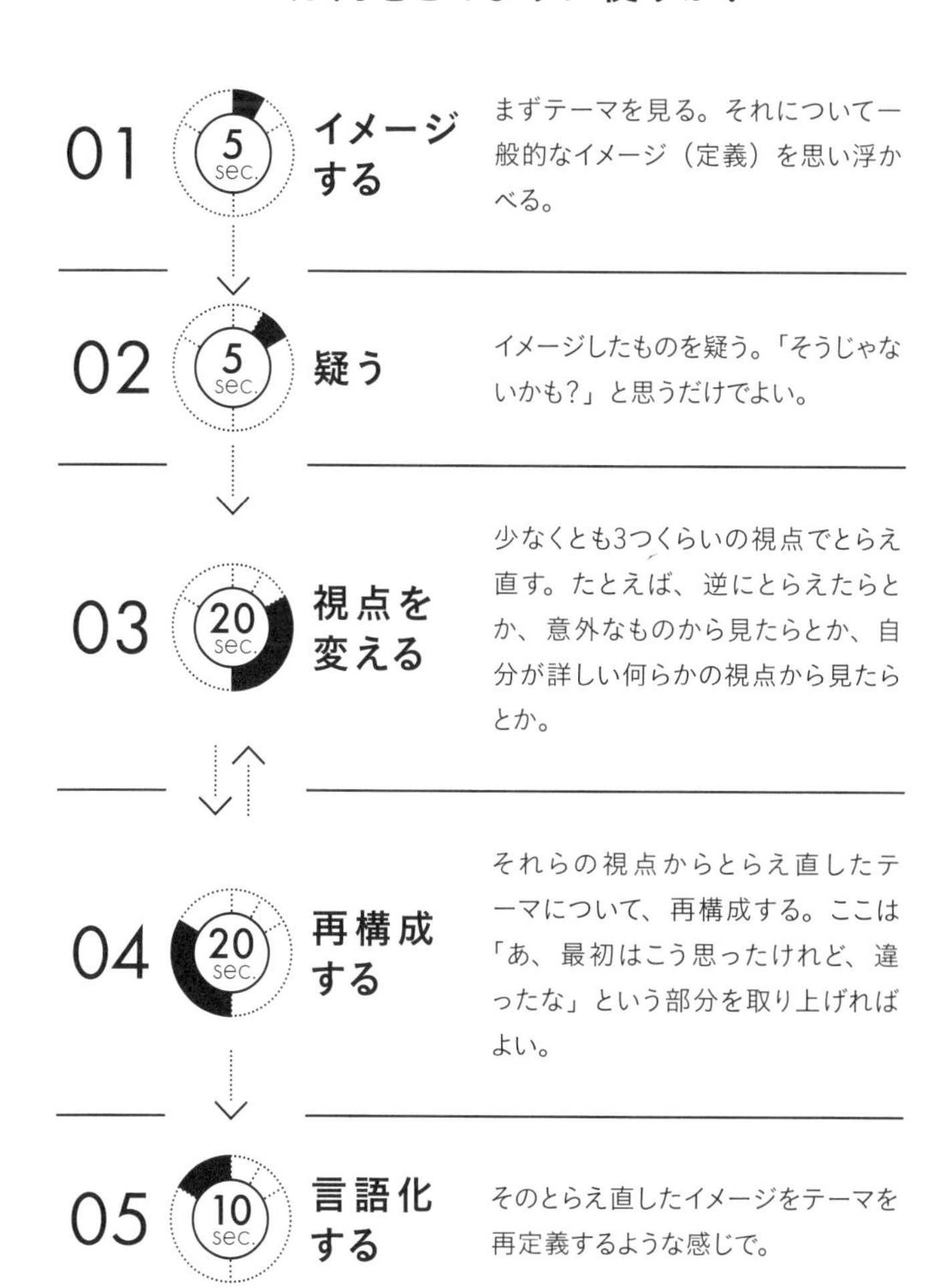

これは哲学の重要なポイントでもあります。私は常々いっているのですが、思考は言葉にしないと考えたとはいえません。なぜなら、人間は言葉で考える生き物だからです。テレパシーで感覚を伝えるわけにはいかないのです。そして、それは30字程度に短く（できるだけキャッチーに）まとめるのが大切です。思考をめぐらせたことをいかに短くまとめるかは、とてもいいトレーニングになります。

疑ってから考えを言語化するまで、1分間を測りながら行なってみてください。人によっては、1分間でも長いと感じるかもしれませんが、それ以上短いとただの直観（や思いつき）と違いがありません。ある程度**「深く考える」には、最短でも1分はかかる**ものだと考えてください。

つまり、早く答えが出るものには、「さらに別の視点から考えられることはないだろうか？」「ありきたりな考えになっていないか？」と、さらに掘り下げて考えてみるほうがよいということです。すでに持っている知識を披露するだけでは、思考が停止していることと大差ありません。

何度も繰り返すうちに、思考のスピードは徐々に上がっていきます。慣れてきたらプロセスを気にしなくとも頭の中で構成を作り、最後の答えを自然と言葉にできるようになるはずです。それができるようになった時、きっと皆さんは周囲から一目置かれる「考える人」になっているに違いありません。思考にこそ価値があるのです。

哲学思考のプロセスについてはご理解いただけたと思います。では、それをどのように実践していくか、まずは本書の私の実践例を参考にしてみてください。これは私自身が実際に1分間思考をした後、それをもとに1000字程度の文章にわかりやすくまとめたものです。皆さんはまず、私と同じようにテーマについてできるだけ短い時間（最終目標は1分間）で考えをまとめ、そのうえで私のサンプル回答を読んでみてください。

何でも最初は真似からです。読み進めるうちに、もしかしたら私の実践例を「疑い」、よりいい思考をする方も出てくると思います。そうなれば、著者としては望外の幸せです。

最後にもうひとつ。**哲学的思考のもうひとつの特徴は、「問い」にあります。**本書で取り上げる問いとなるテーマは、1章では「コロナ後の問い（変わりつつあるもの）」、2章では「素朴な問い（身の周りの何気ないもの）」、3章では「ビジネスの問い（見方次第で違ってくるもの）」、4章では「哲学的な問い（普遍的で大きなもの）」と、様々な分野を扱いました。対象が何であれ、同じフォーマットで思考できることを示すためであり、さまざまなものを「問う」ことそのものの面白さを体感していただけると思います。

さあ、ガイダンスはここまでです。あとは実践あるのみ。繰り返しますが、思考は実践であって、人がやったものを見ることではありません。それだとグーグル検索やAIを使うのと変わりありませんから。本書の目的はあくまで、自分自身で1分間で思考できるようになることです。

「1分間思考法」、いよいよ開講です！

1.

コロナ後の問い

変わりつつあるものに
目を向ける

変わるとはどういうことか？

Refer to 3 hints.

パルメニデス
Parmenidēs
(500B.C.頃-?)
古代ギリシアの哲学者。
エレア派の代表。

01 本質まで変わったのか？

02 永久に変わったのか？

03 パルメニデスのいう「あるものはあり、あらぬものはあらぬ」とは？

Think for 1 minute.

パルメニデスは、感覚に頼る思考方法は、思い込みにすぎず誤っていると考えた。そうして「あるものはあり、あらぬものはあらぬ」という根本的な命題に到達した。つまり、宇宙に存在するものはすべて「ある」ものであり、「あらぬ」ものが存在することはない。そして宇宙のすべてが「ある」ものならば、それはひとつながりの何かであるはずで、運動や変化もあり得ないことになるというわけだ。かくして私たちが感じている変化の存在は否定される。

変わるという現象を、変わるという言葉を使わずに説明するのは難しいですが、日ごろ私は、形や性質がある一定の状態から別の状態に移行することだと理解しています。これを疑うのもまた難しいわけですが、やってみましょう。

違う視点からとらえるとどうなるか。たとえば、カメレオンは変わることの代名詞のように用いられる生き物です。体の色が変わるからです。でも、実際には様々な色の細胞を元々持っていて、光などの外部の環境によって自然と異なった組み合わせが行なわれるようです。だから色が変わる。ということは、カメレオン自身は変わったつもりはないのです。見る側にとっては変わったように思えるわけですが。

錯視も同じですね。見る角度などによって違った絵に見える作品があります。あれも何も変わっていない。私たちが変わったと思い込んでいるだけです。たしかに**視覚的には違うものが見えているのですが、それは違う部分を見ているだけということもできる**と思います。

性格もそうでしょう。変わったという人と、そんなことないという人がいます。景色もそう。つまり物事の変化は見る側の態度や気持ち如何なのかも。

あるいは、変わったといっても、本質まで変わったのか、単に表面的に変わっただけなのかという視点もあるでしょう。コロナの影響で色々な物事の意味が変わったといいますが、はたして本質まで変わってしまったのかどうかという問題です。事柄によりますが、もし単に形式が変わっただけなら、それはあくまで表面的な変化であって、変わってしまったと大騒ぎすべきではないようにも思います。

　時間的な視点もあるでしょう。恒久的に変わったのか、一時的な変化にすぎないのかという話です。単に一時的な変化である場合、長い目で見ると変化とはいえない場合もあるわけです。時代の変化がまさにそうです。平成をどうとらえるかというのが話題になりましたが、多くの人は全体として戦争もなく平和だったなどと表現していました。オウム真理教事件や大震災など、あれだけたくさんの変化があったのに。

　結局、変化とは相対的なものなのだと思います。古代ギリシアの哲学者パルメニデスは、「あるものはあり、あらぬものはあらぬ」という命題を掲げ、変化を信じさせる感覚は誤謬（ごびゅう）だと喝破（かっぱ）しました。実は何かが移行するのではなく、もしかしたら**行ったり来たりしているだけ**なのではないでしょうか。その行ったり来たりの動きの部分や、行き着いた先だけに着目すると何かが移行したように見える。でも、全体を見れば何も変わっていない。変わるとはそういうことであるように思えてなりません。


く…………

変わるとは、行ったり来たりする物事への部分的着目

ウィズコロナとは何か？

Refer to 3 hints.

ゲオルク・ヴィルヘルム・
フリードリヒ・ヘーゲル
Georg Wilhelm Friedrich Hegel
(1770-1831)
ドイツの哲学者。ドイツ観念論を
代表する思想家。

01 英語のウィズの意味は？

02 僕らはウィズコロナを本当にやっかいな事態だと思っているのだろうか？

03 ヘーゲルの弁証法とは？

Think for 1 minute.

もともとヘーゲルの弁証法は、物事が発展するための論理として提起された。しかし、問題が生じたとき、それを克服してさらに一段上のレベルに到達する思考方法としてとらえることもできる。これは一見相容れない2つの対立する問題について、どちらも切り捨てることなく発展させるアウフヘーベン（止揚）によって実現される。そうしてよりよい解決法を見出すことができるわけである。いわば第三の道を創造するための方法だといってよい。

ウィズコロナというと、一般的には文字通りコロナと共にどう生きていくか、その共存の仕方のことをいっているように思えますよね。実際この言葉は、ワクチンが広く行き届くなどして、もう新型コロナウイルスが問題ではなくなるようになるまでの期間の生活様式を意味しています。でも、そこをあえて疑ってみたいと思います。

たとえば、英語のウィズを文字通りとらえて、本当に誰かと一緒にというのなら、それは共同関係を指すわけです。あなたと一緒に頑張るというように。まさかコロナと一緒に頑張ろうと思っている人はいないと思いますが、仮にそのように視点を転換した場合はどうなるか?

おそらくコロナはパートナーになり、共にこの難局を乗り切るための協力者になるはずです。**考えてみれば、私たちはコロナのおかげで進化した部分もあります。**テレワークはまさにその例でしょう。コロナ以前はなかなか実現できなかったのですが、コロナのおかげで今はそれが当たり前になりつつあります。

そう考えると、コロナをもっと積極的にとらえることもできるような気がしてきます。そういえば、英語のウィズには、「何々と一緒に」という意味の他に、「何々を使って」という意味もあります。ということは、ウィズコロナは、コロナを使ってという意味にもなるわけです。これらの視点を生かしてウィズコロナの意味を再構成すると、必ずしもコロナとの共生を余儀なくされるというよりは、もっと積極的にコロナをパートナーや道具として生かして、社会を変えていくためのきっかけにすることが求められているような気がしてなりません。

現に私たちがウィズコロナというとき、必ずしも消極的に我慢しようというだけでなく、何かそこに希望のようなものを込めているのは、きっとそうした積極的な思いの表れではないでしょうか。コロナ禍より以前から、社会は行き詰まっていました。働き方改革もその1つなわけですが、そこにコロナの感染症が広がって、先ほども書いたように、テレワークは当たり前になったのです。

近代ドイツの哲学者ヘーゲルの弁証法は、問題を切り捨てることなく、あえて取り込むことでプラスに転換する思考法でした。そう考えると、**ウィズコロナがもたらすマイナス面も、うまくプラスに転換することは可能**なはずです。それは私たちの知恵次第なのです。

つまり、ウィズコロナとは、コロナを使って社会を変えようという力強いメッセージとして受け止められるように思います。そう、ウィズコロナの本質とは、コロナを使って社会を大胆に変えたいという人々の願いを象徴した言葉なのです。


ウィズコロナとは、コロナを使って社会を大胆に変えたいという人々の願い

パンデミックとは何か？

Refer to 3 hints.

リチャード・フロリダ
Richard L. Florida,
(1957-)
アメリカの社会学者。
専門は、都市社会学。

01 直接的な感染以外の影響は？

02 社会にとってプラスの側面は？

03 フロリダのいう
グレート・リセットと重なる？

Think for 1 minute.

フロリダは、大不況の後の社会の回復の機会をグレート・リセットと呼ぶ。過去150年の間に少なくとも3回のグレート・リセットがあったという。1回目は1870年代（大不況）、2回目は1930年代（大恐慌）。そして3回目が2008年のリーマンショックだ。その3回目のリセットの後にこの概念を発表し、今後の処方箋を提示した。すべての人間がクリエイティブであるという点を重視すれば、世界は危機を乗り越えて、いい方向に社会をリセットできると説く。

パンデミックとは、ある感染症の世界規模での大流行のことをいいます。つまり、ウイルスなどの病原体が引き起こす病気の大流行のことをいうわけです。今まさに起こっている新型コロナウイルス禍のように。過去にも人類は、SARSやペストなど、多くのパンデミックに苦しんできました。

しかし、私たちの苦しみは、決して直接感染症によってもたらされたものばかりではありません。現に私も、今コロナにかかっているわけではないですが、苦しんでいます。不自由な生活を強いられたり、あるいは自分を含め家族などが感染するのではないかという恐怖に見舞われたりと。

その意味では、パンデミックというのは、直接的にウイルスなどに襲われることではないともいえます。それが引き起こす社会の機能マヒや、パニックの方が、多くの人にとっては問題だからです。いわば人間生活にブレーキがかかることが問題なのです。

ロックダウンや緊急事態宣言が世界規模で行なわれたことで、経済は停滞してしまいました。それによって失業したり、お店をたたんだり、あるいは精神的に病んでしまった人もいます。そうしたことから、経済を止める方がかえって命の危険をもたらすという声も高まっています。

もう少し視点を変えると、**パンデミックのせいで、当たり前が当たり前でなくなり、新しい生活様式を強いられる**ようになります。とりわけ感染症の場合、ワクチンが普及するまでは人と人とが接触しないことが唯一の対策になります。そうすると、接触を基本として生きている人間にとっては、非接触を前提とした新しい生き方、サービスを考える必要に迫られるのです。でもそれは必ずしもマイナスではありません。新しいやり方の方が効率がよかったり、むしろこれを機になかなかやれなかったことができるようになったという面もあるからです。テレワークをはじめとした働き方改革はその典型でしょう。

パンデミックを「グレート・リセット」のチャンスにしようという意見もあります。もともとは都市社会学者のリチャード・フロリダがリーマンショックの後に提唱した概念ですが、パンデミックが社会を大きく変えるきっかけとなっているのは事実です。これが2021年のダボス会議のテーマに選ばれたのは偶然ではないはずです。

結局、パンデミックは単なる感染症の大流行という現象を超えて、**人類にとっては日常生活に強制的にブレーキをかけるものであり、それゆえに大変革のきっかけとなるもの**であるといえます。もしかしたらパンデミックとは、感染症によって強制的に世界を変えることなのかもしれません。

パンデミックとは、感染症によって強制的に世界を変えること

ニューノーマルとは何か？

Refer to 3 hints.

孔子
(551B.C. - 479B.C.)
中国の思想家、哲学者。
儒教の始祖。

01 何がニューなのか？

02 常識が変わるのは悪いことか？

03 孔子の説いた礼とは？

Think for 1 minute.

孔子の説く儒教において、礼は最も重要な教えの1つである。礼とは社会秩序を維持するための倫理的規範であって、ゆえにそれは自発的なものでなければならない。礼を身に付けるために孔子は、常にあたかもそうであるかのように振る舞うことが大事だという。そうして小さな習慣を積み重ねることによって、人は有徳になっていくというわけである。礼が備わった人間が優れているのは、状況に応じて正しく振る舞うことができるからにほかならない。

ニューノーマルというのは、新常態とも訳されるように、新型コロナウイルス感染症が広がって以降の新しい生活様式のことをいいます。政府の新型コロナウイルス感染症対策専門家会議が提言したように、人との距離を2メートル空けるとか、外出時はマスクを着用するとか、あるいはできるだけテレワークをするなども含まれます。

しかし、ニューノーマルという言葉自体は、目新しくない英語であって、これまでも大きな社会的変化があるごとに使われてきました。構造的な変化が避けられない状態ということで、リーマンショック後にも用いられましたし、中国では習近平国家主席が2014年に中国経済の新しい段階をまさに「新常態」と呼んで話題になりました。

つまり、**ニューノーマルは別にニューではないのです。常識が変わるということを意味するにすぎません。**ただ、常識が変わるというのは大変な事態であることは間違いないでしょう。今回のコロナによる生活や社会の変化もそうです。

いずれにせよ、ニューノーマルは必ずしも悪いことではないはずです。距離を空けたり、マスクをしたりというのは不便ではありますが、前に触れたテレワークはいいことだととらえている人も多いですから。古い伝統や悪しき慣行など、常識が変わって世の中がよくなった例はこれまでもたくさんあります。そもそも世の中の進歩と共に、常識は変わっていくのが常です。日本だけとってみても、昔はもっと儒教思想の影響で年齢や性別による制約がありましたが、今はほとんどありません。ゼロとはいえないのが残念なところですが。

これらは徐々に変化してきたから、さほど大きな問題にはならなかったのです。ところが、ある日突然そんな変化を押し付けられるとしたら、これは大変なことになります。まず心の準備ができていません。そして社会の側もインフラやルールを含め準備ができていないでしょう。だから狼狽するのです。

そういえば、儒教の始祖である孔子は、日々のトレーニングによって常識を変えていくことの重要性を説いていました。そのトレーニングを「礼」と呼んだのです。問題は変化のスピードなのです。

したがって、私たちがニューノーマルと呼んでいるものの本質は、単に新しい常識ということだけではなく、突然強いられた新しい常識なのではないでしょうか。そこが大きいように思います。まるで江戸時代に突然お触書が出て、唐突に新しいルールを強制される感覚です。その意味では、**馴れていけばニューノーマルはただのノーマルになっていくだけのこと**だと思います。

ニューノーマルとは、突然強いられた現代のお触書

集まるとはどういうことか？

Refer to 3 hints.

プラトン
Platōn
(427B.C. - 347B.C.)
古代ギリシアの哲学者。
ソクラテスの哲学に関する
多くの著書を残した。

01 バーチャル空間で集まるとは？

02 集まっているものはいったい何なのか？

03 プラトンのイデアとは？

Think for 1 minute.

プラトンは物事の本質をイデアと呼び、それはイデア界というわば理想の世界にあると論じた。感覚によってとらえられるものはすべて移ろいゆくが、イデアは永遠不滅の存在とされる。そしてあらゆる物事はイデアの影にすぎないため、私たちには本当の姿を見出すことが求められる。これは心の目、つまり理性によってのみ可能になる。このようにプラトンは、現実と理想の二元論的世界観を想定したうえで、理想の世界を目指すことを訴えた。

一般に集まるというのは、複数の人がある一定の場所に何らかの目的をもってやってくることを意味しますよね。この言葉はまさにコロナ禍でイメージがガラッと変わってしまったものの代表ではないかと思います。

現に大学で「集まってください」と言うと、必ず「対面ですか？」と尋ねられるようになりました。つまり、集まるというのは、基本的にＺｏｏｍのＵＲＬ等にアクセスすることを意味しているのです。

考えてみればコロナにかかわらず、このインターネットの時代には、バーチャルな空間に集まることの方が増えているのかもしれません。よくクラウド上にデータを保存するといいますが、この場合は一定の場所を意味しているわけではなく、ネットワークのどこにでもあることを意味しています。**一定の場所ではなくて、どこにでも集められているというのは、はたして集まっているのか集まっていないのかよくわからない状況**です。でも、これが現代の集まるという言葉の一側面なのはたしかです。

先ほどのＺｏｏｍでも、自分はまったく動いていないのに、勝手に別のルームに移動させますとかいって、切り替えが行なわれることがあります。これも非常に不思議な現象です。自分は集まっていないのに、気づけば集まっている。物の場合はもっと不思議なことが起こっています。仮想通貨などは実体がないのに集まっているというのですから。電子マネーも基本的にお金が集まっているようには思えません。そのうち、物はすべて消滅してしまうのではないかとさえ思えてきます。もしかしたら、ただ脳内で人が集まったり、物を集めたりする感覚だけが現象として起こる世の中になる可能性はゼロではありませんよね。その時、はたして集まるという言葉がまだ生き残っているかどうかは不明ですが。

かつて古代ギリシアの哲学者プラトンは物事の本質であるイデアと、それが存在するイデア界という概念を唱えました。この世の物事は、すべてイデア界に存在するイデアの影にすぎないのだと。もしかしたら、集まるというのも、イデアの影のようなものになりつつあるのかもしれませんね。**実際に集まるかどうかが問題なのではなく、集まって何かをしようとする気持ちが大事だ**ということです。それが集まるということのイデアにほかなりません。

集まるのはみんなで何かをしたいからであって、それが実現できるならバーチャル空間であろうがどこであろうが関係ありません。あるいは集まる必要さえないわけです。それが集まるということの本質であるように思います。結局、集まるとは、一緒に何かをしようという気持ちが1つの方向に向かうことなのではないでしょうか。

集まるとは、一緒に何かをしようという気持ちが1つの方向に向かうこと

非接触とはどういうことか？

Refer to 3 hints.

モーリス・メルロ＝ポンティ
Maurice Merleau-Ponty
(1908 - 1961)
フランスの哲学者。身体を初めて本格的に哲学の主題にした。

01 本当に完全に触れていないのか？

02 人は何にも触れることなく生きていけるのか？

03 メルロ＝ポンティのいう〈肉〉の概念とは？

Think for 1 minute.

メルロ＝ポンティによると、身体は意識に操られる単なる道具ではない。むしろ身体こそが世界と触れ合い、得られた感覚を意識に伝えているのである。その意味で、身体は世界と意識とをつなぐインターフェイスなのである。彼は、その延長線上に〈肉〉という概念を提案する。〈肉〉とは、世界を構成する肉という意味である。つまり、世界は〈肉〉という同じ1つのもので構成されているというのだ。私たちの意識も身体も、全部その〈肉〉の一部にほかならない。

新型コロナウイルスが私たちの生活にもたらした最大の変化は、何といっても距離でしょう。人と人との距離です。距離をとって座る、話すといったソーシャルディスタンスもそうですし、物や人に直接触れないという非接触もまた距離の話です。

一般に非接触とは触れないことだと思われていますが、厳密にいうとそうではありません。たしかにデリバリーサービスやオンラインショッピングなどは、いかにも触れずに行なわれているように思えます。でも、運ばれてきたものを受け取る時には、触れざるを得ないでしょう。

非接触とは、あくまで直接触れないということであって、ビニール手袋をしたり、防護服を着たりして、一応触れてはいるのです。医療や介護の現場ではどうしても人に触れる場面が出てくるでしょう。その意味で、非接触は触れないことではないのです。たとえ手袋を介したとしても、私たちは触れています。また、医療用ロボットを遠隔操作することで人に触れたとしても、やはりそれは触れているのです。

仮に何もかもパソコンのスクリーン上でやることができるとしましょう。それでも私たちはパソコンのキーボードや画面には触れるはずです。あるいは、エッセンシャルワーカーでないとしても、どこかのプロセスで必ず人やモノに触れざるを得ない役割の人は存在するのです。

フランスの哲学者メルロ＝ポンティは、身体を世界と一体のものととらえ、それを〈肉〉と表現しました。身体は意識と世界をつなぐインターフェイスなのですが、そのインターフェイスは実は世界と同じ要素でできているというのです。

一見変なことをいっているように思うかもしれませんが、先ほどの手袋や遠隔操作の医療用ロボットを見ればよくわかるのではないでしょうか。つまり、私たちの意識が身体に働きかけるとき、その身体と一体となったモノがあるとすれば、それは身体の一部でもあり、逆にいうと身体はそのモノの一部でもあるわけです。

そう考えると、非接触とは接触の1つのあり方にすぎず、ウイルスの付着を避けるための安全な形での接触にほかならないのです。したがって、私は非接触という誤解を招く表現の代わりに、安全接触という言葉を使っています。

その方が、非接触ビジネスといわれるものも、より広がりを持つように思います。**触れないことを考えるのではなく、安全に触れることを考える。**その方が、触覚や手足を持った、人やモノに触れざるを得ない人間の本質により即した発想を可能にするように思うのです。

非接触とは、安全な形での接触の1つのあり方

ベーシックインカムとは何か？

Refer to 3 hints.

フィリップ・ヴァン・パリース
Philippe Van Parijs
(1951 -)
ベルギーの哲学者、
政治経済学者。

01 何のために働くのか？

02 そもそもベーシックインカムの意義とは？

03 パリースのいうベーシックインカムの概念とは？

ベーシックインカムを主張する論者は、その根拠によって様々な立場に分かれる。パリースの場合、すべての人にリアルな自由を保障すべきだという主張を展開することで、リアル・リバタリアンを自称している。つまり、人々がやりたいことのできる実質的に自由な社会を実現するためには、権利に関する安全保障の確立、自己所有権の確立、最大限可能な機会の保障が条件となるという。そのためにベーシックインカムを導入する必要があるというわけである。

Think for 1 minute.

ベーシックインカムとは、最低所得保障と呼ばれるように、政府によってすべての国民に同じ額のお金が配られる仕組みです。それによって国民の最低限の所得が保障されるというわけです。

その歴史は18世紀末までさかのぼることができるようですが、現代日本で本格的に議論されるようになったのは、21世紀になって経済が行き詰まりを見せ始めたからだと思います。それに追い打ちをかけるかのように新型コロナウイルスが猛威を奮い、飲食店を中心に所得を得るのが難しい人たちが急増し、政府はついに一人当たり10万円の給付を行なうことを決めました。

これはまさにベーシックインカムにほかなりません。ただ、財源の問題などもあって1回きりの給付にとどまっていますが、今後もどうなるかはわかりません。長期的に見れば、AIが富を生み出すので、それをベーシックインカムという形で分かち合えばいいという見解もありますが、まだそこまでには至っていないので、慎重論が相次ぐわけです。はたして無理をしてまで導入すべきかどうなのかと。

ベーシックインカムに対する賛否は、そもそも働くということの意義に関係しています。**人は対価をもらうために働くのか、それとも働くことそのものに意味があるのかという点です。**もし前者であれば、ベーシックインカムのせいで働く人が減ったり、真面目に働く人が減ったりするおそれがあります。それは国力を削ぐ可能性があるので、ベーシックインカムもネガティブにとらえざるを得ません。

それに対して、人は働くことそのものに意義を感じているとするなら、ベーシックインカムがあるおかげで、むしろより好きなことを仕事にするでしょう。その場合、ベーシックインカムはポジティブなものになるに違いありません。

たとえば、ベルギーの哲学者フィリップ・ヴァン・パリースなども、人々がやりたいことのできる実質的に自由な社会を実現するためには、最大限可能な機会の保障が条件となるとして、ベーシックインカムの必要性を訴えています。

この視点は非常に重要で、人はただお金を稼ぐために生まれてきたのではなく、やりたいことを実現するために生まれてきたととらえるなら、**ベーシックインカムは単なる所得保障ではなく、むしろ人間らしく生きるための保障**だといえるように思います。そんなふうに考えると、ベーシックインカムに対する見方も変わってくるのではないでしょうか。

く…………

ベーシックインカムとは、人間らしく生きるための保障

人種差別とは何か？

Refer to 3 hints.

コーネル・ロナルド・ウェスト
Cornel Ronald West
(1953 -)
アメリカの哲学者。
アフリカ系アメリカンの活動家。

01 ブラック・ライヴズ・マター運動とは？

02 どの人種も大事なのか？

03 ウェストのいう批判的精神とは？

Think for 1 minute.

行動する哲学者であるウェストは、人間が行動に出るためには、おかしいと問い、それを勇気をもって批判し、正しい方向に向かって叫ぶことが求められると説く。彼はそのことをパレーシアとパイデイアという2つの古代ギリシアの哲学用語を使って説明する。つまり、危険をも顧みず真理を語るパレーシアと、批判的能力を養う教育たるパイデイアが、行動へいざなう鍵となるのだ。実際にウェストは、これを人種問題や民主主義の問題に適用してきたといっていい。

一般に人種差別とは、人種的な偏見に基づき、ある特定の人種を差別することをいいます。典型的なのは黒人差別です。特にアメリカでは、黒人がアフリカから奴隷として連れてこられ、長らく差別を受けていたことから、いまだに人種差別の対象となっています。

コロナ禍によって経済格差の問題も大きくなり、昨今顕在化したのがいわゆるブラック・ライヴズ・マター運動です。黒人の命が大事だという意味ですが、その訳語をめぐってもまた議論が巻き起こっています。なぜなら黒人の命がといってしまうと、他の人種の命はどうなるのかという意見が出てくるからです。

ここにこの問題の根深さが象徴されているように思います。本当はどの人種も大事に決まっているのですが、そういうと今すでに差別を受けている人たちの問題を隠ぺいすることになるからです。

でも、考えてみると、人種問題を解決しようとする人たちが目指すのは、差異によって差別されるという点です。とするならば、やはり**どの人種も大切だと誰もが思うことが最終的なゴール**であるはずです。

したがって、今不遇な目に遭っている人たちのことさえ忘れなければ、あらゆる人種の命が大事だといってもいいはずなのです。問題はそうした点を忘れないようにするということです。

そこで参考になるのは、人種問題に取り組むアメリカの哲学者ウェストです。彼自身が黒人であるために、不当な差別を受けてきたといいます。だからこそ、それを解消するために、常に批判的精神を持つように訴えかけます。

ウェストのいう通り、人種差別をなくすためには、常に批判的な目で社会を糾弾し続ける必要があります。黒人への差別に限らず、あらゆる人への差別が起こっていないか、問い続けるのです。そうして初めて、どの人種も大事にされるというゴールが達成できるはずです。

それは決して人種なんて関係ないという社会ではなく、むしろ**人種の違いがあるからこそ尊重される、多様性を重んじる社会の到来**です。人種差別問題は、人種を相対化することによってではなく、逆にそれぞれの人種の違いを認識したうえで、それを尊重することによってようやく解消されるのです。つまり人種差別とは、人種の相対化にほかならないのです。違いを重視すれば、きっと差別はなくなるに違いありません。

人種差別とは、違いを尊重せず、相対化してしまうこと

公衆衛生とは何か？

Refer to 3 hints.

キャス・サンスティーン
Cass R. Sunstein
(1954 -)
アメリカの法学者。
インターネットと法の関係について論じている。

01 公衆衛生はコロナでどう変わったか？

02 マスクの着用を罰則で強制できる？

03 サンスティーンのいうナッジとは？

Think for 1 minute.

ナッジとは、明確に指示して誘導するのではなく、あくまで示唆することによって、相手を間接的に誘導する方法である。そうして人の行動をコントロールすることが可能になる。したがって、一般に行動経済学の用語として知られているが、政治哲学の世界でもこの発想をリバタリアン・パターナリズムと呼んで議論している。政策を考える際、リバタリアンに自由を意識させつつ、その実パターナリズム（温情的介入主義）で誘導するということである。

公衆衛生という言葉は、ある意味私たちの日常にとって特殊なものだったといえます。現にその定義を聞かれて答えられる人は少ないでしょう。新型コロナウイルスが蔓延するまでは。とはいえ、今もなお難しい言葉であることには違いありません。なんとなく社会における衛生状態をきちんと保つってことかなというくらいには想像できるでしょう。

ＷＨＯ（世界保健機関）によると、公衆衛生とは「組織された地域社会の努力を通して、疾病を予防し、生命を延長し、身体的、精神的機能の増進をはかる科学であり技術」だそうです。その意味では、歴史上ずっとそれは国家によって実現され、また発展してきたといえます。

日本もそうですが、文明が発達するにつれて公衆衛生のレベルは上がっているように思います。いわばそれは**人々が健康に生きるためのインフラにほかならない**のです。とするならば、国家にはそれを維持する責任があります。

しかし問題は、今回のコロナウイルスのように、一人ひとりの国民の私生活まで管理し、規制しないことには、公衆衛生が維持できないような事態が起こりうることです。いくら国家の責任とはいえ、私権の制限をどこまでできるかは議論があります。もちろん無制限ではありません。

したがって、マスクの着用や手指の消毒にしても、罰則をもってまで強制するわけにはいかないのでしょう。個人の自由も尊重しながら、いかにして国家としての責任を果たしていくか。そこで参考になるのが「ナッジ」です。もともとは肘（ひじ）でつついたりして、それとなく気づかせるという意味の英単語なのですが、アメリカの法学者キャス・サンスティーンらが、それを思想用語に転用しました。

つまり、正面切って指示すると抵抗されるので、**それとなく気づかせることで、主体的に行動してもらうための知恵**です。これはリバタリアン・パターナリズムといって、いわば自由至上主義を掲げるリバタリアンが重視する個人の自律と、パターナリズムつまり温情的介入主義に基づく国家の有効な介入のバランスをうまく取るための方法です。

新型コロナウイルスが爆発的に広がったことで、公衆衛生は国家の責任から、国民一人ひとりが健康のために主体的に実践すべき義務へと変わりつつあるといえます。

公衆衛生とは、健康のために主体的に実践すべき義務

権力とは何か？

Refer to 3 hints.

ジョン・ロック
John Locke
(1632 - 1704)
イギリスの哲学者。
イギリス経験論の完成者。

01 なぜパンデミックと権力が関係あるのか？

02 権力とは誰のことなのか？

03 ロックのいう抵抗権とは？

Think for 1 minute.

近代において最初に抵抗権を明確化したのがジョン・ロックである。彼は、権力の側に権利がないにもかかわらず力を用いた場合、暴力を用いることが可能になると説く。私たちが国家の指示に従うのは、国家の側に権利があるからである。逆にいうと、私たち自身がその権利を国家に委ねているからである。それを超えた場合、もはや国家には何の強制力もなくなる。それはただの暴力となるのだ。だから戦争状態に陥るというわけである。

ウィズコロナの文脈でなぜ権力がテーマになっているのか、不思議に思う方もいるかもしれません。そもそも権力とは、政治の話であって、特に日本ではあまり考えたり意識したりする対象ではないからです。

そう、**権力とは何も問題なければ、あたかも空気のような存在で、私たちの生活がうまくいくようにコントロールしている存在**なのです。だから選挙の時くらいしか政治のことや権力のことなど考えないのでしょう。日本は政治的にも経済的にも、比較的社会が安定している特殊な国なので。

しかし、パンデミックが発生し、今まで聞いたこともないような緊急事態宣言が出され、それによって様々な行動が制限されるに至り、なぜそんなことが強要されるのか驚いてしまったのです。人によっては、それはウイルス以上の脅威に感じたようです。

これも日本ではそんなに大きな話題にはなっていませんが、ロックダウンが実施されたような国では、国家による監視を危惧(きぐ)する声が出ています。アプリやカメラで人々の行動を管理する仕組みが、監視社会につながるという懸念です。ひいてはそれが全体主義化をもたらすと警鐘を鳴らす人たちまでいるくらいですから。実際、世界にはこの機に乗じて権力を強化しようとする政治家がいるのはたしかです。だから権力は恐ろしいということになるのです。

そこでふと思うのは、そもそも権力とは誰かということです。独裁国家ならその独裁者が権力の象徴であり、まさに権力者です。でも、民主主義国家の場合、権力者である政府のメンバーは基本的に選挙で国民が選んでいます。

とするならば、権力者は自分自身ではないのでしょうか？　今の民主主義国家の基礎は、社会契約論にあると考えられます。たとえば、イギリスの哲学者ジョン・ロックは、まさに今の日本の民主主義の仕組みの原型となるような社会契約説を唱えていますが、そこで説かれているのは、主役である人民が政府に権力を委託するという論理です。だからこそ彼は、政府が人民の意向に従わないような場合は、人民が抵抗をする権利があると説くのです。

そうした権力に内在する抵抗権の意義に鑑みるならば、**権力の本質とはむしろ人民が自分自身を律するための仕組み**といえるのではないでしょうか。暴走せずに前に進んでいくための……。ウィズコロナは、そんな権力の意味を改めて考えさせてくれる契機になっているようです。

〈……………

権力とは、人民が自分自身を律するための仕組み

2.

素朴な問い

周囲を見渡し
問い直す

AIとは何か？

Refer to 3 hints.

ダニエル・クレメント・デネット3世
Daniel Clement Dennett III
(1942 -)
アメリカの哲学者、
著述家、認知科学者。

01 AIにできることとできないことは？

02 人間は脳の中で何をしているのか？

03 デネットの与する機能主義とは？

Think for 1 minute.

デネットらが与する機能主義によると、心的状態とは機能的状態にすぎないと考える。たとえば、人が感じる痛みについていうと、あくまでそれは刺激に対して生じる因果的機能によって定義される状態にすぎないというわけである。こうした機能主義は、AIが意識を生じるかという議論に必然的に大きな影響を与えることになる。機械で構成された存在でも、機能さえ整えば意識を生じうると考えることは可能だからだ。

早くもAIは、珍しくも何ともなくなってしまった感があります。数年前には、新聞でもテレビのニュースでもAIという文字をたくさん見たような気がします。いや、もちろんAIは今もどんどん発展し、様々な企業がそれを導入しているわけです。

でも、それがさほど驚くようなニュースではなくなってしまったということです。

いまやＡＩを使うのは当たり前で、ＡＩを使ったからすごいなどとは誰も思わなくなってしまっているということです。言い方を換えると、それだけＡＩが日常に溶け込んでいる、いや市民権を得ているという証拠でしょう。

まだ完全に自律して思考できるようなＡＩは登場していませんが、「彼ら」が登場し、本物の市民権を得るのは時間の問題かもしれません。ここで私がＡＩと呼んでいるのは、人工知能のことですから、人間と同じように思考する存在です。つまり、コンピューターといえども、ある程度は自律して思考できるレベルのものを指しています。

ＡＩは意識までは持てないまでも、あたかも意識を持っているかと思わせる程度の思考（的なこと）をできるまでにはなっています。囲碁のチャンピオンに勝っただけでなく、文学作品を書いたり、絵を描くＡＩまで登場しているのですから。

もちろんそれは**あくまで人間の真似をしているだけ**です。いわゆるディープラーニング（深層学習）という方式によって、無数のパターンを覚え込み、そこから推測するという演算処理です。

そう、今私が表現したように、ＡＩがやっていることはあくまで演算処理にすぎません。だからアウトプットは人間と同じように見えても、すべては計算の結果にすぎないのです。しかしここで少し視点を変えて、人間が脳の中で何をしているか考えてみたいと思います。

答えは「？」です。人間の脳は思ったほど解明されていません。つまり、私たちはあたかもＡＩとは違う営みを頭の中で行なっているかのように思っていますが、本当にそうなのかどうかはわからないのです。

現代の哲学者の中には、たとえばダニエル・デネットのように、人間の思考をあたかも機械のようにとらえる人は少なくありません。機能主義、つまり心の状態は、その状態の持つ機能的役割によって定義されるという立場です。

とすると、実は**ＡＩはすでに人間の思考を再現している**ともいえそうです。いや、人間以上にはるかに高速でデータを処理できるのですから、私たちが認めたくないだけで、ＡＩはすでに人間を超えた存在になりつつあるのかも。なんだか背筋が凍ってきました……。

ＡＩとは、人間を超えた存在になりつつあるもの

SNSとは何か？

Refer to 3 hints.

ハーバート・マーシャル・
マクルーハン
Herbert Marshall McLuhan
(1911 - 1980)
カナダ出身の英文学者、
文明批評家。

01 SNSと他のメディアとの違いは？

02 いったい何と何をつないでいるのか？

03 マクルーハンのいうメッセージとは？

マクルーハンによる「メディアはメッセージ」という言葉は、メディアの形式ごとに伝わるメッセージが変わるという意味である。手紙とメールでは、同じ内容でもニュアンスが変わるように。そこで彼は、メディアの質、あるいは解像度を基準にして、様々なメディアをホットかクールかに分類している。マクルーハン以前は、メディアの伝える内容にしか注目していなかったが、そこを逆転させて形式に注目したのが画期的な点である。

Think for 1 minute.

SNSは現代のメディアにおける主役を担っているといっても過言ではないでしょう。LINE、ツイッター、Facebook、Instagram、そしてYouTubeを含めて。ソーシャル・ネットワーキング・サービスの名が示しているごとく、それは人々をつなぎ合わせるインフラであるといえます。

先ほどメディアといいましたが、従来の（マス）メディアは新聞やテレビに代表されるように、一方的な情報の発信にとどまっていました。それが次第に双方向的になっていって、ついには双方向が当たり前になったのがＳＮＳにほかなりません。

自分が何かを発信できないメディアは、もはやメディアではないのです。考えてみれば、メディアとはもともと媒体、つまり媒介となるものという意味です。そして媒介という限りは、それは何かと何かをつなぐものであって、つながれるものの一方が人間である場合は、本来そちらの側からも何か発信したかったはずなのです。

ところが、これまでは技術的にそれができませんでした。人々は新聞を読むだけ、ラジオを聴くだけ、テレビを観るだけだったのです。そこに双方向型のメディアであるＳＮＳが登場して、人々の欲求は一気に解放された感があります。やっと本当のメディアが現れたと。

かつてメディア研究のパイオニア、カナダの思想家マクルーハンは、「メディアはメッセージ」だといいました。メディアのコンテンツではなく、メディアの種類ごとにメッセージがあるのだと。同じ内容でも、新聞とテレビでは相手に伝わるメッセージが異なるということです。

それでいうと、マクルーハンの時代にはＳＮＳはありませんでしたが、おそらく**「批判への開かれ」こそがそのメッセージ**だといえるのではないでしょうか。ＳＮＳ上で発信されたニュースや意見は、例外なく無数の人々の批判にさらされます。しかもそれは明確な言葉として表現され、共有される運命にあるのです。たしかに、不特定多数に開かれているというその性質が、他方で誹謗（ひぼう）中傷やプライバシーの侵害のような問題をもたらしているのも事実です。しかし、そうした**悪質な投稿もまた、批判へ開かれている点に注意が必要**です。悪質性はそれによって正されていくわけです。

たとえ大統領の言葉であっても、その難を逃れるわけにはいきません。どんな情報も意見も公平に批判にさらされるという意味で、常に開かれた状態にあるのです。そこがＳＮＳの醍醐（だいご）味でもあり、本質にほかなりません。そのことに誰もが自覚的になった時初めて、ＳＮＳは本当の力を発揮するに違いありません。

ＳＮＳとは、批判への開かれ

大学とは何か？

Refer to 3 hints.

ゲオルク・ヴィルヘルム・
フリードリヒ・ヘーゲル
Georg Wilhelm Friedrich Hegel
(1770-1831)
ドイツの哲学者。ドイツ観念論を
代表する思想家。

01 大学の大の字は何を意味するのか？

02 大学の目指す1つの目的とは？

03 ヘーゲルのいう無用性の有用性とは？

Think for 1 minute.

ヘーゲルは、近代社会における大学を、無用性であるがゆえに有用であると位置づけた。いわばそれは世俗化された社会において、大学が教会にとって代わり、そこで人々が世俗的な日常とは異なる体験をすることを意味していた。その体験とは哲学に象徴されるような、ゼロから新たなものを生み出す営みである。哲学が一見無用の学問であるかのように思われて、実はそれゆえに無比の有用性を備えているのと同じく、大学もまた無比の有用性を備えた場なのだ。

大学の大の字は何を意味するのでしょうか？　他にも小学校や中学校などがありますが、ということはこの大は大中小の大でもあるように思えます。ということは何かが大きいということになるわけですが、いったい何が大きいのか。

態度が大きい？　私も大学教授なので、そういわれると耳が痛いのですが、たしかにそんなイメージはありますね。あと、研究の規模やキャンパスの規模、学生やスタッフの規模、それに伴って予算規模も大きいですね。

ただそもそも大学という制度は西洋から入ってきた概念なので、英語のuniversityの意味について考える必要があるかもしれません。この英単語の語源は、ラテン語の「uni」と「versus」からなっているので、いわば「1つに」「向きを変えた」ところというような意味になります。

つまり、**大学とは「1つの目的をもった共同体」だといえる**と思います。では、いったいどんな目的を持っているのか。大学という制度が近代以降果たしてきた役割は、広い意味での文化を形成するという点にありました。だからこそ自由に研究し、自由に学ぶことが重視されたのです。そこが高校までの教育機関とは異なる点です。

日本国憲法でも、学問の自由には、研究の自由、大学の自治、教授の自由等の自由が含まれているとされます。そのせいでよく無駄な研究をしているかのように思われることもあるのですが。とりわけ文学や哲学をはじめとした人文学には、有用性の観点から厳しい目が向けられています。

これに対して近代ドイツの哲学者ヘーゲルは、大学を無用性の場であるがゆえに有用であると喝破しています。**この世の中であえて有用性を第一に考えない場というのは、その点において貴重であり、有用だということ**です。なぜならそのおかげで新しい文化が生まれたりするからです。

最初に大学の何が大きいのか問いましたが、私は文化を生み出すという点で責任が大きいと考えています。最近大学には結果ばかり求める風潮がありますが、私たち国民もそうした大学の重要な役割に鑑み、大きな心で受け止めたいものです。大学は無用だからいいのだと。

大学とは、無用性の追求によって文化を形成する場

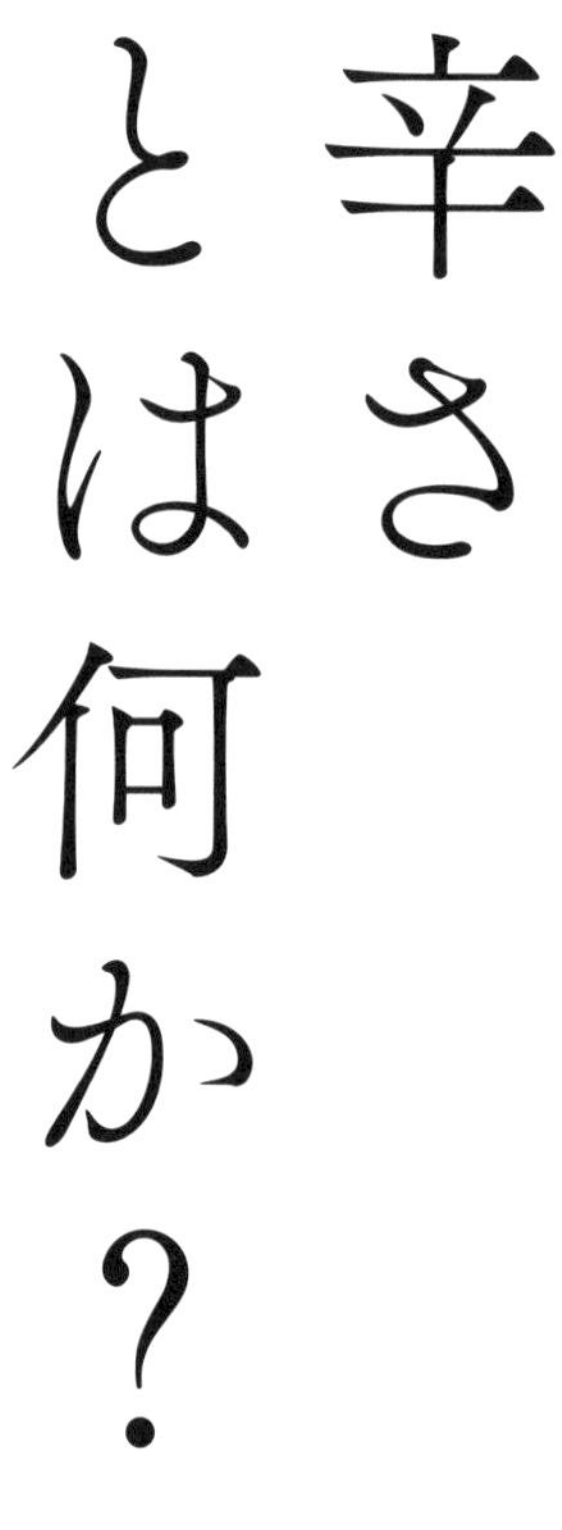

Refer to 3 hints.

バートランド・ラッセル
Bertrand Russell
(1872 - 1970)
イギリスの哲学者。
反戦を訴えた政治活動家

01 辛さの効果とは？

02 なぜ痛みを求めるのか？

03 ラッセルのいう退屈しのぎとは？

ラッセルは『幸福論』で、人が不幸になる原因として退屈と興奮を挙げている。人間は現在の状況と想像上のもっと快適な状況とを対比することで、退屈を感じてしまう生き物である。だから退屈の反対は快楽ではなく、興奮だという。人間が狩猟するのも、戦争するのも、求愛するのも、すべて興奮を求めるからにほかならない。とはいえ、過度の刺激にはきりがない。そこで、幸福になるためには、ある程度退屈に耐える力を養う必要があるとも論じている。

Think for 1 minute.

私は辛いものが大好きです。特に韓国料理や東南アジア系の辛い料理をよく食べます。あるいは、普通の料理でもできるだけ辛くするために、自分で香辛料をちょい足ししたりします。世界の辛いソースを取り寄せしては、色んなものにかけて試しているのです。

なぜ辛い物が好きかというと、1つは熱さです。英語では辛さを表現する際、ホットというように、口の中だけでなく全身がホットになります。そして汗が出てくるのです。あの新陳代謝を促す感覚がたまりません。

もう1つは、なんといっても刺激です。これこそ一般的な辛さのイメージでしょう。口の中に広がるあの刺激、「ヒィ～」と言って水を飲みたくなるあの感覚こそが辛さの醍醐味です。その証拠に、辛さとは甘さや塩辛さなどの他の味覚と異なり、痛みだといいます。

辛いという時、私たちは味を楽しんでいるのではなく、痛みを楽しんでいるのです。それはもう足ツボマッサージの痛みを感じたり、滝に打たれたりする時の刺激と同じ次元です。料理の味を楽しむのとはわけが違うのです。

しかもそれを口に入れて、つまり人間の一番敏感な部分で感じようとするのですから、究極のマゾヒズムといっても過言ではありません。いったいなぜそんなことをするのか？

参考になるのは、イギリスの哲学者ラッセルの幸福論です。

ラッセルは、人間が幸福になるためには、退屈をどうにかしなければならないといいます。なんと人が戦争をするのも、退屈に耐えられないからだというのです。たしかに、退屈ほど嫌なものはありません。

したがって、手軽に得られる刺激は、日常の退屈をしのぐのにはとても有益な手段なのです。口に入れるだけで刺激が得られ、しばし退屈しのぎになるのですから。そして幸福にさえなる。私も辛い食べ物に出逢うたび、幸福な気分になっています。

きっと辛い食べ物のファンが多いのは、こうした理由からではないでしょうか。その意味で**辛さとは、一口で得られる退屈しのぎであり、幸福にほかなりません**。痛みとはいえ、血が出るわけでもなく、苦しむわけでもありませんから。これからも激辛商戦は止むことはないでしょう。人が幸福を求める限り……。

<………

辛さとは、一口で得られる退屈しのぎ

お酒とは何か？

Refer to 3 hints.

フリードリヒ・ヴィルヘルム・ニーチェ
Friedrich Wilhelm Nietzsche
(1844 - 1900)
ドイツの哲学者、古典文献学者。

01 なぜ人はお酒に惹かれるのか？

02 お酒の二面性とは？

03 ニーチェのいうディオニュソスの精神とは？

Think for 1 minute.

ニーチェは初期に著した『悲劇の誕生』の中で、ディオニュソスについて論じている。そこで描かれたのは、アポロンとディオニュソスという対照的な世界観である。太陽神アポロンと、陶酔的・激情的芸術を象徴する神ディオニュソスが形作る世界。両者は不可分のものでありながらも、一見アポロン的なものが主であるかのように思われがちである。しかしニーチェによると、むしろディオニュソス的なものこそ人間の中の原始的・本能的な部分であるという。

お酒とは何かという問いに対する答えは、おそらく人の数だけあるように思います。それだけ人間社会の中に浸透し、共有されているものだからです。もちろん嫌いな人も含めて。定義としては、エタノールが含まれた飲料の総称であり、それによって酩酊を引き起こすというのが一般の理解でしょう。

ただ、そんな形式的な定義は誰も気にしていないのではないでしょうか。むしろお酒は、人々を楽しくさせるきっかけであり、コミュニケーションの手段だととらえている人の方が多いと思います。原料や身体への影響なんてどうでもいいのです。

だからこそ飲みすぎて失敗を犯す人も多いのでしょう。そう、**お酒には二面性があります。薬にも毒にもなる。**これがお酒を考えるうえで最初の大事なポイントです。楽しいけれど、飲みすぎるとつらくなる。何よりトラブルのもとにもなる。あるいは、長寿の秘訣であると同時に、体を壊す毒でもある。

とはいえ、基本的にはお酒はいいものとして社会で受け入れられています。経済効果があるという点もさることながら、先ほどの長寿や食欲増進などの医学的効果に加えて、気分を高揚させたり創造性を高めたりなど、とりわけ日本人が苦手とする事柄を容易にしてくれる部分が関係しているのではないでしょうか。

近代ドイツの哲学者ニーチェは、アポロン的精神とディオニュソス的精神という2つの精神について対極的に論じています。一見明るそうに見えるアポロン的なものは、実は暗いディオニュソス的なものの陰であって、本質的なところで苦しさを受け入れているからこそ、強く明るく生きていけるのだと訴えているのです。

実はこのディオニュソスというのはギリシア神話の酒の神でもあります。つまり、お酒を飲むことで、人は外に向かって明るく振る舞えるという部分があるのではないかと思うのです。それはお酒を飲んでいるまさにその瞬間もそうですし、文化としてもそうです。お酒を飲む時間や生活があるからこそ、そうでない時間や生活が輝くように思うのです。四六時中飲んでいては仕事になりませんからね。

その意味で**お酒は、私たちの日常と非日常の切り替えを可能にする装置**であるように思えてなりません。その切り替えの号令があの「カンパーイ」のセレモニーなのかもしれません。日常を明るく振る舞って真面目に生きる私たちには、きっとその緊張を解きほぐすためのお酒が不可欠なのでしょう。そんな言い訳をしつつ、今日も私は晩酌を楽しんでいます。


お酒とは、日常と非日常を切り替えるための装置

読書とは何か？

Refer to 3 hints.

マルティン・ハイデガー
Martin Heidegger
(1889 - 1976)
ドイツの哲学者。
存在の意味を探究した。

01 なぜ本を読むのか？

02 皆同じように本を読むのか？

03 ハイデガーのいう本と人との関係とは？

Think for 1 minute.

ハイデガーは、もともと古代ギリシア以来問われることのなかった「ある」ということの意味、つまり存在の意味について徹底的に思索を展開した哲学者である。とりもなおさずそれは、西洋哲学の根源を問い直す営みであったともいえる。だからこそ西洋哲学の主要ツールである言葉という概念にこだわり、それが集められた書物という存在にこだわったのだろう。書物にどう向き合うかは、言葉、いや哲学そのものにどう向き合うかを意味していたのである。

最近は読書をする人が減っているといいます。その背景として、他にやることが増えたことが挙げられます。しかも本を読むよりずっと楽なことばかりが。動画を観たり、SNSで発信したり、オンラインゲームをしたりと。でも、コロナ禍で外出があまりできなくなった時期は、少し読書をする人が増えたようです。

これは単に暇だからというのではないと思います。それならオンラインで映画を観たり、ゲームをしていればいいわけですから。そこであえて読書をするということは、もっと他の理由があるように思えてなりません。

一般に読書とは、１つの目的の下にまとめられた大量の文字を理解していく営みです。だから文字を通して情報を収集する作業であるかのように思われています。でも、小説や詩の場合は純粋に感じることで楽しむという要素もあると思います。**そもそも読むという行為自体、人によってそのやり方はそれぞれです。そこにはもっと違う何かがある**のではないでしょうか。

20世紀に活躍したドイツの哲学者ハイデガーは、本の読み方でその人がわかるといっています。たとえば、本をじっくり読む人は思慮深い人でしょう。ハイデガー自身がそうだと思います。まさに哲学者タイプです。

逆に速読するような人は要領がいいといえそうです。ビジネスに向いていますね。中には飛ばし読みをする人や、一部分しか読まない人もいます。そういう人はもしかしたらせっかちなのかもしれません。私もそうなのですが。

私の本の読み方でいうと、特徴的なのは本に書き込んだり、折り曲げたりして、アウトプットのための情報源にしてしまうことです。常にインプットよりもアウトプットを意識しているということです。ハイデガーなら私のような人間をどう評価するでしょうか。打算的な奴めなどといわれそうです。せめてクリエイティブな奴めといってもらいたいところですが。

面白いのは、ハイデガーが、何を読むかではなく、どう読むかに着目している点です。何を読むかだとその人の趣味趣向や関心がわかるだけですが、どう読むかだとその人の性格がわかります。

こんなふうに、読書とは人の性格を映し出す鏡にほかならないのです。逆にいうと、**本の読み方を変えれば、性格も変わる**のかもしれませんね。

読書とは、人の性格を映し出す鏡

アートとは何か？

Refer to 3 hints.

ブレーズ・パスカル
Blaise Pascal
(1623 - 1662)
フランスの哲学者。
モラリストの代表的思想家。

01　なぜ人はアートを特別視するのか？

02　アートとは何をすることなのか？

03　パスカルのいう繊細の精神とは？

Think for 1 minute.

人間は「考える葦」であると論じたパスカル。人間は葦と同じように弱い存在だけれども、考えるという点において偉大だというわけである。つまりパスカルは、理性によって思考する人間のすごさを称えているのだ。他方パスカルは、幾何学の精神と繊細の精神の両方が必要だともいう。この場合、幾何学の精神とは理性を指しており、繊細の精神とは感性を指している。考えるということが、理性だけでなく感性によって構成されていると説く点に意義がある。

アートといえば、いかにも特別な営みに思えますよね。芸術のことですが、それはあたかも限られた特別な人だけに許された行為であるかのように思ってしまうのです。いわゆるアーティスト、芸術家の仕事ですよね。

でも、よくよく考えてみたら、私たちも美術の授業があったり、あるいは多少は絵を描いてみたり、アートをたしなんできたはずです。いや、今だって多少絵を描いたりすることはあるのではないでしょうか？　そんなのアートとは呼べないと謙遜されるかもしれませんが、それはアートの定義次第です。

一般にアートとは、美を創造したり、表現したりする人間活動一般を指します。おそらく皆さんもそんなふうに理解されていると思います。つまり、別に高度な内容を指す概念ではないのです。ピカソにしかできないことではなくて、あくまで**感性を生かした発想、そしてその表現にすぎない**のです。

「アート思考」というビジネスの思考が流行っていますが、これは絵を描いたり、彫刻を作ったりするための思考ではなく、あくまで斬新な問題提起をするための思考なのです。だとするならば、それは誰にでもできることなのではないでしょうか？

きっと**論理的思考に馴らされすぎて、感性を生かすことに臆病になっているのが問題な**のだと思います。でも、人間の頭は論理的思考だけではなくて、感性的思考がセットになって初めて機能するものです。それはフランスの哲学者パスカルのいう通りです。

彼はいいます。人間の頭は幾何学の精神と繊細の精神からなっていると。前者が論理的思考、後者が感性的思考です。そうやって私たちには等しく感性的思考をする能力が備わっていると思えれば、きっとアートに対してももっと自信を持つことができるように思うのです。

それは決して特別な営みではなく、人間であれば誰でもできる思考の表現の1つにすぎません。簡単な足し算すらできないという人はあまりいないと思います。それは論理的思考が自分に備わっているのを自覚しているからです。

それとまったく同じで、自分にアートのための思考が備わっていると思えばいいだけです。つまり**アートのための感性は万人に与えられているのだけれども、普段は臆病さゆえに抑え込まれているだけ**なのです。だからアートとは、それを解放することにほかなりません。さあ、ぜひ色鉛筆でも手に取って気持ちを絵に表現してみてはいかがでしょうか。子どもの時毎日やっていたように。きっと気持ちいいですよ。

<…………

アートとは、臆病になっている感性の解放

いじめとは何か？

Refer to 3 hints.

エマニュエル・レヴィナス
Emmanuel Lévinas
(1906 - 1995)
フランスの哲学者。
他者論の代表的人物。

01 いじめは物理的行為か？

02 いじめは何を奪っているのか？

03 レヴィナスがいう倫理とは？

Think for 1 minute.

レヴィナスは、他者の存在を重視した哲学者である。なぜなら、他者は自分とは絶対的に異なる存在であり、自分の中には決して取り込めないものだからだ。他者をそのように認識できるようになると、そこに倫理が生まれるという。別にその他者に何かをしてもらったわけでも、何か借りがあるわけでもないけれど責任を負うという意味で、いわばそれは無限の責任だといえる。この一見非対称な倫理こそが、人が持つべき本当の倫理なのである。

いじめというと学校を思い浮かべますが、もちろんそれは職場でも地域でも起こりうることです。そして今はネット上で起こるSNSいじめなどが問題になっています。一般にいじめとは、複数人で一人を排除し、陰湿な嫌がらせを行なうことをいうと思います。嫌がらせは物理的な暴力である場合も、言葉による心理的なものである場合もあります。

ただ、上司による部下へのいじめとか、お局が新人をいじめるなどということもあるので、加害者は必ずしも複数である必要はなさそうです。とすると、やはりいじめの本質は陰湿な嫌がらせをする行為そのものにあるといえそうです。

では、なぜそのような行為をするのか。それは攻撃である限り、相手の弱体化を目的としています。必ずしも暴力によるものではない点を見ると、精神的弱体化が主目的のように思えます。つまり、相手の自尊心を破壊し、自己肯定感を奪ってしまう行為なのです。

そう考えると、いじめがいかに卑劣な行為であるかわかると思います。人間は自尊心や自己肯定感を持って生きています。逆にいうと、それがあるから生きていけるのです。**社会的動物である人間は、他者から認められることで初めて自己を規定し、役割を果たすことができる**のです。フランスの哲学者レヴィナスが他者との関係や尊厳についていうように、他者の尊厳を守ることは、あらゆる人間にとっての責任であり、倫理にほかならないのです。なぜなら、もしそれを奪ってしまったら、その人は何の役にも立たない、ダメな存在だと思い込むことになるでしょう。だから引きこもったり、最悪自殺するということにもなりかねないのです。

やっかいなのは、いじめる側にそこまでの自覚がないケースです。いや、そういうケースが多いことです。とりわけ言葉によるいじめや、無視といった行為は、それが直接命を奪うような行為ではないだけに、加害者も簡単にやってしまいます。ナイフで胸を刺して殺すとなると、誰でも躊躇(ちゅうちょ)するでしょう。きっとそれならやらないでしょう。

現にいじめの件数に比べて、殺人の件数は圧倒的に少ないですね。でも、先ほども述べたように、いじめは社会的存在として生きていくうえでの自尊心を奪う行為であり、それが自殺につながる可能性は常にあります。相手が打たれ弱い人だったらどうでしょう。あるいは、大丈夫そうな人でもたまたま心が弱っていたらどうでしょう。

その意味では、あらゆるいじめは殺人未遂に近い行為なのです。私にいわせると、ナイフを突き刺す行為と変わりありません。言葉というナイフを突き刺しているのですから。**人間は身体だけで生きているわけではありません。人間はそれ以上に心で生きているの**です。だから心にナイフを突き刺すような行為をしてはいけないのです。

いじめとは、心にナイフを突き刺す行為

友人とは何か？

Refer to 3 hints.

アリストテレス
Aristotelēs
(384B.C. - 322B.C.)
古代ギリシアの哲学者。
万学の祖と称される。

01 なぜ人は友人を必要とするのか？

02 親友とは何か？

03 アリストテレスのいう友人の意義とは？

Think for 1 minute.

アリストテレスの説くフィリアとは、友愛を意味する言葉である。もともとは愛を意味する語だが、同胞愛、仲間への愛へと拡大していった。アリストテレスは、都市国家ポリスの中で人々が互いに助け合いながら生活することを重視していた。その助け合いの倫理こそがフィリアにほかならない。その極致が相手にとっての善を相手のために願う「善ゆえの愛」だという。共同体を維持するためには、そうした倫理が不可欠であるといいたかったのだろう。

友人という言葉を聞いてまず思い浮かぶのは、何かを一緒にする相手というイメージではないでしょうか。遊ぶ、食事をする、相談するといったように。何かを一緒にする相手は家族だったり、同僚だったり、他にもいるわけですが、家族は生活を共にする相手、同僚は主に仕事を共にする相手ですから、友人とは少し異なるように思います。

つまり、家族は生きていくために支え合う存在で、同僚も仕事をするうえで助け合う存在だといえます。では、友人の存在意義とは何か？　もちろん生きていくために支え合う部分もあるでしょう。でも、家族と違って、生計を共にし、毎日一緒に過ごすわけではないので、支え合いの度合いが異なるように思います。

かといって、仕事における助け合いのような限定された目的での付き合いでもありません。いってみれば、**家族よりは狭く、同僚よりは広い関係性**なのです。学校時代を思い浮かべてもらえばいいと思いますが、クラスメートというのは、広い意味での友人でしょう。でも、みんながみんな友人と呼べる存在ではない。

おそらくその中で、特に親しい付き合いがある人たちを友人と呼んでいたのだと思います。そう、この**親しさこそが友人の存在意義**なのではないでしょうか。何をするにしても、気軽に付き合える、気軽に相談できる。そういった意味での親しさです。それでいて家族のように生計を共にするのではない関係。いわば他人の中で一番親しい人たちということです。

古代ギリシアの哲学者アリストテレスは、友情のことをフィリアと呼びました。元々は愛を意味する語です。そしてそのフィリアを3つに分類しています。「有用ゆえのフィリア」「快楽ゆえのフィリア」「善ゆえのフィリア」です。

有用ゆえのフィリアとは、相手が有用だから付き合うというものです。快楽ゆえのフィリアは、相手と付き合っていると快適だからつるむというもの。ただ、こうした関係はあまり友人と呼ぶにふさわしくないように思います。人を利用しているようにも聞こえるからです。友人は決して道具ではないはずです。

これに対して、善ゆえのフィリアとは、相手にとっての善を相手のために願う人々の気持ちだといいます。何かあった時にふと気遣う関係です。**おそらく友人といえるからには、善ゆえのフィリアの関係でないといけない**のではないでしょうか。それこそが親しさという言葉にふさわしい関係なのだと思います。だからそういう友人のことを親友と呼ぶのでしょう。

友人とは、何かあった時にふと気遣う関係

遊びとは何か？

Refer to 3 hints.

エリック・ホッファー
Eric Hoffer
(1902 - 1983)
アメリカの哲学者。
沖仲仕の哲学者と呼ばれる。

01 なぜ遊びは悪のようにいわれるのか？

02 人が遊びたがるのはなぜか？

03 ホッファーのいう遊びの本質とは？

Think for 1 minute.

ホッファーは、自由に生きた哲学者である。港湾労働をしながら、人生と思索を楽しむ生涯を送った。だからこそ、芸術家としての人間は、労働者としての人間よりもはるかに昔から存在したと説くのだ。つまり、遊びが労働に先行し、芸術が有用な生産に先行したのだと。にもかかわらず人間は、しばしば必要に迫られて、楽しむためのものを有用なことに利用してきた。そんなふうに必要性に縛られている間は、人間はまだ動物界の一員にすぎないという。

遊びと聞くと、ワクワクすると同時に罪悪感が芽生えます。いや、罪悪感があるからワクワクするのかもしれません。ここからもわかるように、遊びとは仕事や勉強と異なり、楽しいものであって、それゆえに日常の中で特別な意味を持っているのです。

子どもは遊ぶのが仕事だといわれます。でも今や就学前の幼い子どもでさえ、様々な教育を受け、遊びが本業ではなくなってしまっています。ましてや小学生にでもなれば、もう遊びは悪になってしまうのです。本業の勉学の妨（さまた）げになるという理由で。

大人にとってそれが大罪となるのは想像に難くないでしょう。しかし、それではまるで遊びが人間にとって害悪であるということになってしまいます。あたかも人間にとって不要な、非本質的行為であるかのような。

はたして本当にそうなのでしょうか？　では**なぜ人間は子どものころから遊び、それを大人になっても求め続けるのか？**　あらゆる人間の本能がそうであるように、決してそれは悪いものではありません。食欲も睡眠欲も知的欲求でさえも、必要だから追求するのです。遊びもそうなのではないでしょうか？

そこで遊びの本質に着目してみたいと思います。たとえば、アメリカの哲学者ホッファーは、もともと人間は遊びを主に生きてきたといいます。だから土器よりも埴輪が先に作られたのだと。たしかにあれはフィギュアみたいなものですから。

それがだんだん生活の必要に迫られて、仕事が優先されるようになっていった。そのせいで、人間が本来持っていた創造性が損なわれていったというわけです。つまり、遊びの本質は創造性であり、イノベーションなのです。

少し考えればわかりますが、多くの発明やイノベーションは遊び心から生まれてきたものです。会議室で真面目に考えていて、面白いアイデアが浮かぶとは思えません。その意味で、**遊びは本来、人間とその社会を発展させるための原動力にほかならない**のです。

遊びのない社会はつまらない社会であって、それを規制するような社会に発展は望めないでしょう。私たちはもう一度遊びが持つ本来の意義、そしてそれが人間の本質であることに立ち返り、物事の優先順位を見直さなければなりません。とりわけ今のように大きな変化が求められる時代には……。

遊びとは、人間と社会を発展させる原動力

3.

ビジネスの問い

見方しだいで
違って見えるもの

仕事とは何か？

Refer to 3 hints.

ハンナ・アーレント
Hannah Arendt
(1906 - 1975)
ドイツ出身の哲学者。
ユダヤ系のため、ナチスに追われ
アメリカに亡命。

01 あらゆる仕事に共通する要素とは何か？

02 必ず対価は必要か？

03 アーレントのいう活動とは？

Think for 1 minute.

アーレントは著書『人間の条件』の中で、人の営みを労働（Labor）、仕事（Work）、活動（Action）の3つに分類している。労働というのは、人間の肉体の生物学的過程に対応する活動力を指す。仕事とはそれ以外の創造的営みである。これらに対して活動とは、いわば言論による草の根の政治活動のことである。地域活動のようなものをイメージすればいいだろう。人間の営みとして活動の意義を重視したことで、アーレントは公共哲学の祖の一人と称されるに至った。

これまで仕事というと、朝起きて通勤して、オフィスに夕方までいるというイメージだったと思います。何をするかは職種によって異なりますが、多くの人たちはパソコンに向かって作業したり、時に打ち合わせをしたり、外部に交渉に行ったり、現場を見たりという感じだったのではないでしょうか。もちろん工場でモノを作ったり、飲食店でサービスを提供したり、あるいは芸術家のような仕事や、研究のような仕事に従事している人もいるでしょう。

しかしいずれにも**共通しているのは、職場に赴（おもむ）くこと、長時間働くということ、そしてそれによって対価をもらうこと**であるように思います。それがゆえに様々な問題が生まれてきたのです。職場に赴くということは、通勤時間が増加し、それに反比例して子育ての時間が減少します。長時間働くと残業が増え、心身の健康を損ないかねません。対価をもらうこと自体はいいのですが、それが格差の原因になったり、対価をもらえない活動に消極的になる原因にもなり得ます。

そこで働き方改革が登場したわけですが、なかなかうまくいきませんでした。しかし、奇しくも新型コロナウイルスによるパンデミックが、テレワークを促進し、先ほど挙げた多くの問題を解決しようとしています。残る問題は、対価をもらうという部分だけです。

本当に対価は必要なのかどうか？　生きていくためにはお金がいります。でも、共産主義だと必要な分しか与えられません。それは必ずしも労働の対価とはいえないような気がします。働けなくても皆で助け合うのですから。あるいは、ボランティアの場合は、対価は基本的にはないわけですが、これは仕事とはいえないのかどうか。

会社を定年になり退職し、地域の仕事をボランティアでやっているとしましょう。誰かがやらないといけないので。今奇しくも私は「地域の仕事」と表現しましたが、厳密にはこれは仕事ではないですよね？

でも、時に私たちは自分以外のことで何かやらねばならないことを「仕事」と呼びます。20世紀アメリカで活躍した哲学者ハンナ・アーレントは、いわゆる仕事の中に「活動（Action）」という要素を持ち込みました。これはまさに地域社会で活動するようなイメージなのです。

本来、**仕事には純粋に対価をもらうだけのものから、対価をもらわない活動まで含まれているの**ではないでしょうか。仕事とはもっと広く、誰かのために貢献することだと思うのです。家事も地域活動も全部含めて。そうとらえることができれば、私たちの一日、いや一生はもっと充実したものになるに違いありません。

仕事とは、誰かのために貢献すること

営業とは何か？

Refer to 3 hints.

フリードリヒ・ヴィルヘルム・
ニーチェ
Friedrich Wilhelm Nietzsche
(1844 - 1900)
ドイツの哲学者、古典文献学者。

01 営業向きな人とは？

02 成約にこぎつけるために必要なものとは？

03 ニーチェのいう能動的ニヒリズムとは？

Think for 1 minute.

もともとニヒリズムとは、虚無主義とも訳されるように、これまでの価値を否定する考え方をいう。ニーチェは、むしろそのニヒリズムを徹底することによって、疲弊した現実世界を無価値であると受け入れ、そこから新しい価値観を生み出すべきであると主張した。これを能動的ニヒリズムと呼ぶ。こうした態度は彼の説く「超人思想」の根幹にあるもので、神に象徴される大きな力に頼ろうとする、消極的な生き方の対極にあるものといえる。

私も元営業マンなので、営業の大変さはほんの少し体験したことがあります。就職活動の時には、色んな会社の面接で、営業向きだとして即戦力で使えそうだなどと持ち上げていただけました。きっとコミュニケーション能力をみてそういっていただいたのだと思います。

営業というのは物を売ること、つまりお客さんの購買意欲を高め、売買契約につなげる行為ですから、高いコミュニケーション能力が必要だということでしょう。ところが、実際にやってみると、即戦力どころか自分が営業に向いていないことが判明しました。

なぜなら、その**商品を欲しがっている人ならいざ知らず、まったく興味のない人にも関心を持ってもらって、最終的にその人に売らなければならない**のです。これは大変なことです。もちろんそこで高いコミュニケーション能力が求められるのはいうまでもないでしょう。

しかし、それだけでは相手の気持ちを変え、成約にこぎつけるまでには至りません。特にお金を出して物を買ってもらうわけですから、そのプロセスはそう簡単ではないのです。**一番求められるのは根気**です。だいたい、一度話してすごく盛り上がったとしても、それで「はい、ハンコを押しましょう」などということはあり得ません。どんな営業でも足しげく通い、時には接待をし、何度も交渉してようやく首を縦に振ってもらえるものなのです。

だから根気がいるわけです。私にはそれが欠けていたのだと思います。その後何度か転職を繰り返しましたが、営業とはあまり関係のない職業を選んで生きてきました。公務員であったり、研究者であったりと。これらの仕事にまったく営業の要素がないかというと、決してそうではないのですが、いわゆる営業職ではありません。

やはり営業ができる人というのは粘りが違います。近代ドイツの哲学者ニーチェは、同じ苦しみの繰り返しに対して、「よし、もう一度」と立ち上がれる人間でなければならないと説きました。それはどうせダメだろうとあきらめるニヒリズムとは対極にある、能動的ニヒリズムの態度です。**ダメなことは百も承知で、それでも乗り越えようとする態度**のことです。営業でも、どうせダメだろうというニヒルな態度では、一度断られたらもう立ち直れません。そう考えると、営業とはまさに成約に向かう能動的ニヒリズムにほかならないように思えます。

営業とは、成約に向かう能動的ニヒリズム

イノベーションとは何か？

Refer to 3 hints.

アンリ＝ルイ・ベルクソン
Henri-Louis Bergson
(1859 - 1941)
フランスの哲学者。生の哲学の代表的存在。

01 なぜ今イノベーションなのか？

02 時代が求めるものとは？

03 ベルクソンのいう創造的進化とは？

Think for 1 minute.

ベルクソンは、生命の進化過程について、機械論的に理解する態度を退けようとした。機械論は、自然界全体をあたかも数学的な法則に支配された機械のようにとらえる。しかし、ベルクソンによるとそれは間違っている。なぜならそうした態度は、人為的に予測可能な物質に対する法則を、予測不可能な事態が発生しうる生命の世界にまで不当に拡大するものだからである。かくして彼は、生命を中心に全宇宙を創造的進化のプロセスと位置付ける壮大な体系を構築するに至った。

今やビジネスだけでなくあらゆる分野でイノベーションの必要性が叫ばれています。それだけ世の中が行き詰まり、また変化が激しくなっているのでしょう。というのも、イノベーションとは、まったく新しいものを生み出すものだと思われているからです。

もともとは経済学者のヨーゼフ・シュンペーターが、経済活動の中で生産手段や資源、労働力などをそれまでとは異なる仕方で新しく結合することをイノベーションとして提起しました。だから「新結合」などと訳されることもありますが、今はそれにとどまらずあらゆる分野における新しい価値創造を指すようになっているので、カタカナのイノベーションを使うのが一般的です。

しかし考えてみれば、人間はこれまでも様々な新しい価値を生み出しながら進化してきたので、別に**イノベーションは新しいことでも、特別なことでもない**ようにも思えます。にもかかわらず、21世紀の今、ことさらにイノベーションの意義が強調されるのはなぜか？　おそらくそれは、イノベーションが単なる新たな価値の創造にとどまるものではないからでしょう。先ほども述べたように、時代が行き詰まり、かつ変化が激しくなると、何が求められるべきか予測不可能になってきます。

いわば目的に合わせて価値を創造しているようでは遅いのです。あるいは、それでは対応できないのです。そもそも目的自体がわからないのですから。何が成功するかわからないとか、セレンディピティ、つまり偶然の掘り出し物やマッチングが大事だとよくいわれます。こうした表現に象徴されているように、今求められているのは、意外で、飛躍的な価値の創造にほかならないのです。

フランスの哲学者ベルクソンが、生物の進化の本質を創造的進化という言葉でとらえています。生物は目的をもって因果論的に進化しているのではなく、予測不能な中で時に飛躍的に進化するというのです。だから創造的なわけです。

たとえるなら、**今私たちがイノベーションに求めているものも、その意味での創造的進化なのではないでしょうか。**それは単なる新たな価値の創造ではなく、飛躍的な価値の創造なのです。

イノベーションとは、飛躍的な価値の創造

リーダーシップとは何か？

Refer to 3 hints.

ニッコロ・マキャヴェッリ
Niccolò Machiavelli
(1469 - 1527)
イタリア、ルネサンス期の
政治思想家。

01 なぜ日本ではリーダーシップを重視しないのか？

02 リーダーの役割とは？

03 マキャヴェッリの君主論とは？

マキャヴェッリの思想はリアリズムだといわれる。現に、目的のためには手段を選ばないその悪名高き権謀術数は、「マキャヴェリズム」と呼ばれ今なお参照され続けている。彼の著した『君主論』は、古典によくありがちな、高潔な理想を謳って終わりということがないのが特徴である。むしろその逆で、過剰なまでに現実的に論じられている。その象徴ともいえるのが、「君主は愛されるよりも恐れられなければならない」という主張にほかならない。

Think for 1 minute.

なぜか今の時代はリーダーシップが重視されていないように感じます。特に日本ではそうです。もともとこの国では政治もビジネスも、あまりリーダーシップということをいってきませんでした。学校でもリーダーシップ教育をしているという印象はありません。実際には、どこに行ってもリーダーシップが求められるにもかかわらず。

リーダーシップは一般に組織を引っ張っていく能力だと思われています。そうすると、誰かがリーダーシップを発揮しないと、組織は動けなくなってしまうようにも思います。ところが、不思議なことに日本ではそれでもなんとかなるのです。だからあまりリーダーシップが必要だと思われないのです。

なぜなんとかなるかというと、みんなが空気を読んでなんとなく足並みをそろえるからです。**リーダーの役割は、みんなの足並みがそろうように働きかけること**です。したがって、もしそれが勝手にそろうならリーダーは必要ないということになります。いや、むしろ有害ですらあるでしょう。自然に足並みがそろうのに、リーダーが別の方向に持っていこうとした場合には、困ったことになります。自然な流れを無視して、強引に引っ張ろうとした場合も問題が起きます。

だから個性的なリーダーや、強力なリーダーは嫌われるのです。仮にリーダーがいても、それは静かに見守っているような、あるいはどんと構えているような存在であったほうがいいということです。

しかし今の話はあくまで日本に限った特異な事情であって、ひとたび世界に目を転じると、事態はまったく変わってきます。しかもいまや日本もグローバル化していますから、そのような特異なリーダー観が通用するものでもありません。

だから本来のリーダーシップが求められるはずなのです。にもかかわらずそれがないから、この国はうまくいっていないのかもしれません。

では、本来のリーダーシップとは何か？　それはイタリアの政治思想家マキャヴェッリが君主について論じているように、**ライオンのような強さと、キツネのような狡猾さをあわせ持った能力**にほかなりません。

これらはいずれも、人についてこさせるための能力です。強く引っ張るか、それでもダメな人はうまく言葉やモノで操るか。そうして硬軟をうまく使い分けて、ついてこさせる。これがリーダーシップの本質なのです。ポイントはただ強く引っ張るだけでは足りないという点です。そういうのを嫌う日本では特に……。


リーダーシップとは、硬軟をうまく使い分けること

就活とは何か？

Refer to 3 hints.

アリストテレス
Aristotelēs
(384B.C. - 322B.C.)
古代ギリシアの哲学者。
万学の祖と称される。

01 企業と学生双方にとって共通する意義とは？

02 学生に一番求められるものは？

03 アリストテレスの説く共同体の倫理とは？

アリストテレスは倫理学の古典といってもいい『ニコマコス倫理学』の中で、共同体の倫理、つまり人々が抱くべき正しさについて論じている。その根幹にあるのが、友愛を意味するフィリアである。共同体を1つにまとめていくためには、成員が同じ倫理観を持って政治に臨む必要がある。だから友愛はそのまま共通の正しさを意味することになるのである。人間は共同体の動物であると説いたアリストテレスらしいロジックといえよう。

Think for 1 minute.

私自身も就活を何度か体験しましたが、それ以上に大学の教員として、学生たちの就活に毎年アドバイスする立場として関わってきました。ですから、就活と聞いただけで他人(ひと)事(ごと)ではなく、むしろ自分の仕事の一部のようにとらえてしまいます。

就活とは、就職活動の略ですから、仕事を得るための活動です。具体的には、企業の研究をして、説明会に参加し、エントリーシートを提出して、筆記試験を受けたり、面接を受けたりして内定をもらう行為です。

最近はインターンシップも重視されますから、ここにそのプロセスが入る場合もあります。その方がお互いにミスマッチがなくていいということでしょう。インターンシップでの青田買いみたいなものもあります。そういう意味では、就職活動はつくづく仲間探しだなあと感じます。これは企業にとっても学生にとってもです。

企業が一緒に働く仲間を探すというのはわかりやすいと思いますが、学生にとってもそうだといわれると、少し違和感があるかもしれません。よほどの売り手市場でもない限り、就活をする学生の方は、自分を拾ってもらうので精一杯という感じだからです。おそらくそれが現実なのでしょう。

でも、本質はどうかといわれると、決してそうではないように思います。入ってくれる学生がいなかったら、どんな大手企業でも困るでしょうから。やはり**就活は双方にとって仲間を探す行為**なのです。

だから私は、就活をする学生たちによくこういいます。『ワンピース』のルフィに仲間にしたいと思わせるようでないとだめだと。一緒に目的を達するために冒険をする仲間を企業は探しているのです。だとすると、当然何か特技がないといけません。あるいは、熱意がないといけません。でももっと大事なものがあるはずです。

古代ギリシアの哲学者アリストテレスは、共同体の倫理について論じています。その根幹は友愛を意味するフィリアだといいます。これは正しさを共にするという意味の言葉でもあるのです。奇しくもここでアリストテレスは、船の乗組員同士が仲間のことを「フィロイ」（親愛なる友よ）と呼びかけることに言及しています。

船は象徴的な例なのでしょうが、**私たちは共同体において仲間と同じ正しさを追求していく存在**なのです。そうでないと、一緒に前に進んでいくことができないからです。一人が間違っているだけで、船は沈んでしまいます。企業も同じでしょう。だから就活とは、正しさを共有できる仲間を探す旅のプロセスなのです。

就活とは、正しさを共有できる仲間を探す旅のプロセス

接待とは何か？

Refer to 3 hints.

千利休
(1522 - 1591)
戦国時代の商人、茶人。

01 接待のメリットとは何か？

02 おもてなしとは？

03 利休七則とは？

利休七則とは、茶の湯の大成者、千利休が遺した言葉で、お茶の基本の心構えである「おもてなし」について記した心得のことである。具体的には、次の7つを指す。「茶は服のよきように点て」「炭は湯の沸くように置き」「花は野にあるように生け」「夏は涼しく冬暖かに」「刻限は早めに」「降らずとも傘の用意」「相客に心せよ」。いずれも茶の湯の世界にとどまらず、客を最大限尊重し、もてなすための普遍的な要素であるといえる。

Think for 1 minute.

接待というのは、最近コロナ禍であまり聞かなくなりましたが、私が若い頃はそれこそが仕事であるかのような印象さえありました。特に昔の商社は「飲ミュニケーション」ができないと営業は務まらないという感じでしたから。

なぜなら、接待とはおもてなしですから、相手も気持ちよくなりますし、貸しが作れるわけです。何より飲食の場というのはリラックスしているうえに、お酒も入って本音で話すことができます。

この**本音で話せるというところが特にポイント**であるように思います。ビジネスに限らず、飲食の場というのは本音で話せるいい機会です。会議だと本題に直接向き合ってしまいますが、飲食の場は飲食がメインです。少なくとも表向きは。したがって、堅い雰囲気も和らぎ、話も直接的ではなく、間接的になります。その意味で非常に大事な仕事のコミュニケーションの機会だといえます。

しかし、それゆえに気負いすぎて失敗をするのです。いわば独りよがりな接待になってしまいがちだということです。日本にはおもてなしという言葉がありますが、本来接待はおもてなしでないといけないと思うのです。そうでないと、相手は心地よくなれません。では、日本のおもてなしの本質とは何か？　それはまさにおもてなしの父といってもいい茶の湯の大家、千利休が説いている思想だと思います。

利休はいわゆる利休七則と呼ばれるおもてなしの極意の中で、「降らずとも傘の用意」ということをいっています。つまり、備えを怠らないということです。私はここにおもてなしの神髄があるとみています。

人をもてなす時には、十分な準備をするでしょう。でも、予測不能なことが起こるのが世の常です。いくら万全の準備をしていても、たった1つの不快な出来事が、すべてを台無しにすることがあるのです。それを避けるには、可能な限り細心の注意を払い続けるよりほかありません。おもてなしに「もうこれで十分」はないのです。

本来、接待とはそういうものではないかと思うのです。たいていの**接待は人を喜ばせることのみに気がいきがちで、がっかりさせかねない要因に気が向いていていません。**そこのところの意識を転換する必要があります。コロナ禍で接待の機会が減る今だからこそ、一期一会の心構えで臨みたいものです。

……＞

接待とは、細心の注意を払い続けること

学歴とは何か？

Refer to 3 hints.

ガリー・ガッティング
Gary Gutting
(1942 - 2019)
アメリカの哲学者。
『ニューヨークタイムズ』の人気
コラムニストとしても活躍した。

01 学歴社会の変容とは？

02 大学に行く意味とは？

03 ガッティングのいう教育論とは？

Think for 1 minute.

ガッティングは、大学におけるリベラルアーツ教育を、資本主義に束縛されないようにするための対策と位置づけ重視している。職業訓練学校なら、職業の専門家が教授になればいいということになる。大学はあくまで「知識のための知識」を身につける場であって、「手段としての知識」は高校までに身につければよいと。真の教養とは、思想の探求と創造的な想像力であって、資本主義の商品としての価値から人々を自由にするものだと考えているのだ。

日本を含め、これまで世の中は学歴社会と呼ばれる風潮にありました。いい学校を出れば出るほど、また高学歴であればあるほど社会で成功するという風潮です。実際に、いい大学を出ているだけでいい会社に入れたり、出世できたのはたしかです。

しかし、世の中が実力主義になってくると、そこは少し崩れてきました。テクノロジーの発達もあって、**個人で色々やれることが多くなると、必ずしも学歴が必要ということにはならなくなってきた**のです。学歴がなくても、コンピューター1つでお金を稼げるなら、それでいいではないかというわけです。

さらにコロナの影響でキャンパスが閉鎖され、オンライン授業が主流になってくると、別に大学そのものに行かずとも、インターネット上のコンテンツで学ぶことで同様の効果、あるいはそれ以上の効果が得られるのではという議論も出てきています。

かくして学歴社会の崩壊のようなことがいわれ始めているわけです。もちろん一気にそれが変わるとは思えませんが、この流れはもはや不可避でしょう。いい大学を出ただけで成功する時代はもう終わったと思った方がいいと思います。

とはいえ、大学に行くことが無意味かというと、そんなことは決してありません。就職のためのスキルを学ぶとか、社会に役立つことを身に付けるという意味ではたしかに存在意義を失いつつあるでしょう。しかし、それとはまったく異なる意義があるとすれば、やはり意味があるのです。

では、そのまったく異なる意義とは何か？　そこで参考になるのは、アメリカの哲学者ガリー・ガッティングの教育論です。彼は大学ではリベラルアーツ教育に力を入れるべきだといいます。なぜなら、それによって人々は資本主義に束縛されないようになれるからです。**リベラルとは自由を意味する語ですが、まさに資本主義から自由になるための教育だから**だという理屈です。

今、大学はますます就職のための職業訓練校と化しています。それではもうテクノロジーやインターネット上の教育コンテンツに負けてしまうので、むしろ原点回帰して、リベラルアーツ教育に特化すればいいのです。そうすれば、そこでの学歴もまた異なる意義を持ってくるはずです。いわば学歴とは、自由になるための能力を身に付けた証（あかし）になるのです。

学歴とは、自由になるための能力を身に付けた証

上司とは何か？

Refer to 3 hints.

ミシェル・フーコー
Michel Foucault
(1926 - 1984)
フランスの思想家。
権力の本質について論じた。

01 なぜ上司は嫌われるのか？

02 上司がいないとどうなる？

03 フーコーのいうパノプティコンとは？

Think for 1 minute.

パノプティコンとは、もともとは功利主義の生みの親、イギリスの哲学者ジェレミ・ベンサムが考案した刑務所のアイデアである。一望監視装置とも訳されるように、中央から一望することで効率的に囚人を監視できる点が特徴だ。そうして囚人自身の手によって規律が内面化されていく。フーコーは、この原理に見られる規律・訓練作用が、近代社会の隅々まで及んでいることを訴えた。それは、産業革命によって象徴される近代という社会が、生産性を上げることを最優先した結果である。

一般に上司と聞くと、嫌なイメージを抱く方が多いのではないでしょうか。もちろんいい上司もいますが、たいていはネガティブなワードとして使われます。「上司の命令で」とか、「上司がうるさくて」などというふうに。

つまり、上司というのは、文字通り上から司る存在なのです。**自分を制限する存在といってても過言ではない**でしょう。人間は自由に生きたい存在ですから、それを制限されるのは嫌に決まっています。だから上司はネガティブな存在になるのです。

では、上司なんていなければいいということになりますが、それはそれで問題です。たとえば、職場で上司がいない日はどうなるか。みんな羽を伸ばします。たまにはそれも必要なのでしょうが、毎日羽を伸ばしていては、仕事になりません。だから監視役はやっぱりいるのです。

その証拠に、いてもなめられているダメ上司だと意味がありません。ただし、そこを勘違いして上司が監視をしすぎたり、締め付けすぎたりすると、パワハラになったり、メンタルヘルスを損なう社員が増えたりする原因になってしまいます。だから塩梅が難しいのです。

そもそも上司の目的は、社員がきちんと働くように指示することですから、逆にいうと社員がきちんと働きさえすれば、何もやらなくていいのです。存在するだけで。速度違反を取り締まる通称オービス（速度違反自動取締装置）がそうです。あれを見ると、速度違反を意識します。そして速度を守っている限りは、何の害もありません。

フランスの思想家フーコーは、社会にはパノプティコンという監視のモデルが至る所に存在すると指摘しました。パノプティコンとは、中央に監視塔があって、その周囲にドーナツ状に独房が張りめぐらされているという構造の刑務所です。独房からは監視塔の中が見えないため、常に監視されていると思い、自分で自分を律するという仕組みです。

これは監視社会のモデルとして悪くいわれることが多いですが、うまく使えばさぼりがちな自分を律するための便利な仕組みにもなり得ます。上司の存在をこの観点でとらえることもできるのではないでしょうか。**監視はそこから逃れられないのが問題であって、自分がさぼり防止装置として使うなら問題ない**はずです。きっと上司のことも肯定的にとらえられるようになると思います。もちろん、間違っても本人にはいえませんが……。

く…………

上司とは、さぼり防止装置として使える便利な仕組み

ビジネスマナーとは何か？

Refer to 3 hints.

トマス・ホッブズ
Thomas Hobbes
(1588 - 1679)
イギリスの思想家。
社会契約説で知られる。

01 ビジネスマナーがなっていないと なぜ恥をかくのか？

02 そもそもなぜ行儀作法が必要なのか？

03 ホッブズのいう自然状態とは？

自然状態とは、ホッブズが提示しようとした近代国家成立のための理論の前提となるものである。国家を構成する人間は、快楽を求めて、苦痛を避け、自己の生命活動を維持しようとする。そんな人間同士が相互に関係し合うと、弱肉強食の自然状態に陥る。いわば、誰もが敵同士となって自己の欲求実現のために争う「万人の万人に対する闘争」状態のことである。それを避けるために提案されたのが、リヴァイアサンと呼ばれる強大な力を持つ国家にほかならない。

Think for 1 minute.

ビジネスには様々なマナーがあります。たとえば、会議やタクシーでの座る位置から、服装や文章の書き方まで。いわゆるビジネスマナーです。社会人になる前に一通り研修などで学ぶわけですが、それでもなっていない人は割といるものです。

そういう人がいるとすぐに目立ちます。最近はカジュアルな服装が奨励されている職場も増えていますが、それでもあまり変なかっこうをしていると目立ちますし、新人が上座に座っていたらやはりおかしいでしょう。礼儀がなっていないと叱られるのです。

そもそもマナーとは、行儀作法のことであって、ビジネスマナーはビジネスにおける行儀作法ということになります。したがって、行儀作法がなっていないと日常でも恥をかくのと同じで、ビジネスシーンでも恥をかくことになります。

では、どうして行儀作法がなっていないと恥をかくのか？　それは和を乱すからでしょう。行儀作法とは、複数の人間が何かを一緒に行なう際のルールであって、一人しかいないなら守る必要はありません。誰も見ていないし、誰かに迷惑をかけることもないでしょうから。

しかし、ひとたび**誰かと何かを一緒にするとなると、共通のルールに基づいてやらないことには、共同行為が成り立ちません**。相手に迷惑をかけることになるのです。先ほどのタクシー1つとってもそうです。乗る場所が決まっていた方が、スムーズに乗車できます。どこに座ってもいいというのは、一見楽そうですが、譲り合ったりしてまるで椅子取りゲームのようになってしまいます。つまり、複数の人間が同時に物事をスムーズに行なえるように、行儀作法が存在するのです。

イギリスの思想家ホッブズは、人間が好き勝手に権利を行使すると弱肉強食の「自然状態」に陥るから、大きな力に権利を委ねるべきだと説きました。それが社会秩序の根拠だとしたのです。

この理屈はビジネスマナーにも当てはまるような気がします。ビジネスマナーがないと、先ほどの椅子取りゲームではないですが、まさに自然状態が発生してしまいます。そう考えると、**ビジネスマナーは決して礼儀のためのものではなく、弱肉強食を避けるための知恵**といえるのかもしれません。年老いた社長が、若い新入社員に椅子取りゲームで勝てるわけないですからね。

く…………

ビジネスマナーとは、弱肉強食を避けるための知恵

名刺とは何か？

Refer to 3 hints.

和辻哲郎
(1889 - 1960)
日本の哲学者、倫理学者。
日本文化にも造詣が深い。

01 なぜ名刺を交換するのか？

02 欧米との違いは？

03 和辻哲郎のいう間柄とは？

Think for 1 minute.

和辻哲郎によると、間柄とは「個人にして社会であること」だという。和辻は、個々の人間がいるから間柄が成立すると同時に、間柄があるからこそ個々の人間が成立しうるという二重の関係があると考えた。明らかに西洋的な個人の概念との違いを意識した考え方だといえよう。人は事実として他者との関係性の中で生きている。だからこそ和辻は、間柄に注目したわけである。この概念を基礎として、和辻は日本倫理学とも呼ぶべき体系を築き上げた。

名刺は日本では欠かすことのできないアイテムです。とりわけビジネスの場においては、名刺を交換しないというのは、挨拶をする気も、今後付き合う気もないことを意味するかのごとく無礼にあたります。ですから、名刺を切らしたり、持ち合わせていない場合は、丁重に詫びなければならないのです。

もちろん最近はコロナの影響で、物を交換すること自体を控える風潮があるので、その点では紙の名刺を交換する機会は減っていますが、その代わりオンライン名刺交換が出てきたりして、方法は変わってもやっぱり続いています。

日本ではこれが当たり前なので、いつも欧米に行くたびギャップを感じます。彼らは名刺をそれほど重視しないので、くれないどころか、時に受け取りさえ遠慮しようとします。形式的に渡されるのが嫌なのでしょう。

欧米ではむしろいかに早くファーストネームで呼び合える仲になるかが重要です。どこどこ会社の何の役職だとか、そんなことは二の次なのです。いわば個人的な関係の方が重要ということです。これに対して、日本ではまず家柄とか、どこの大学を出ているとか、何より今現在どこに属しているか、つまり肩書や所属こそが重要なのです。

ここには欧米の個人主義と日本の共同体主義の違いが、如実に表れているように思います。そう考えると、**名刺は実は共同体主義を象徴するものの1つ**なのかもしれません。どんな組織に属していて、その中で自分がどういう役割を果たしているかをまず示すものですから。

かつて日本の哲学者和辻哲郎が、日本における人間関係のことを間柄と表現しましたが、これはまさに名刺文化を説明するキーワードであるようにも思えます。間柄とは、人と人の関係性の中で存在する個人、そしてまたそうした個人同士の関係をいうものです。**名刺とは人が個人ではなく、何らかの間柄の中にある存在であることを示すと同時に、それを交換することでまた新たな間柄をつくり上げようとする営み**にほかならないのです。いわば自分の共同体の枠を広げる行為です。だからその交換は重要な意味をもつのです。紙であろうと電子であろうと。

名刺とは、共同体の枠を広げる行為

4.

哲学的な問い

大きなものを
自分の言葉で
分解する

愛とは何か？

Refer to 3 hints.

ルネ・デカルト
René Descartes
(1596 - 1650)
フランスの哲学者、数学者。
近代哲学の父とも称される。

01 愛の意味は1つだけか？

02 恋愛と、他の愛の違いは？

03 デカルトのいう献身とは？

Think for 1 minute.

デカルトは、自分以上に相手を評価する愛のことを献身と表現する。単なる愛着と献身とでは、同じ愛でも相手のために何を捨てることができるかという点において違いがある。愛着なら自分を選んで対象を捨てるという。これに対して献身の場合は、その逆で相手を選んで自分を捨てるという。文字通り献身的に、自分の命を犠牲にしてでも相手を守るということである。国のために死ぬという愛国心のようなものが典型ではあるが、個人に対してもその愛はありうる。

どんなシチュエーションであっても、哲学しようという話になると一番に出てくるテーマがこれです。それだけみんなが関心を持っていて、にもかかわらず謎なテーマなのでしょう。面白いですよね。みんな人を愛したり、愛されたりしてるのに、愛とは何かがわからないなんて。

いや、愛したり、愛されたりする感覚はわかっているのだと思います。でも、それが何なのか、つまりその本質がわからないということです。感覚的にはわかっていても、それが何なのか言語化できないということは、その本質がわかっていないということになります。

おそらくその理由の1つが、**愛にもいくつかの種類があるから**ではないでしょうか。よくいわれるのは、愛には3種類あるという話です。無償の愛を意味するキリスト教のアガペー。友愛を意味するフィリア、そして恋愛を意味するエロスの3つです。

一口に愛といっても少なくとも3つはあるわけですから、どの愛のことをいっているのか明確にする必要があるのでしょう。子どもに対する無償の愛と、恋人に対する恋愛とは異なりますから。友情に近い友愛もそうです。

そもそも私たちが愛という時、いったいどの愛の話をしているのでしょうか？　やっぱりそれは恋愛の愛のことなのではないでしょうか。だからこそ無償の愛は愛情といったり、友達への愛は友愛や友情といったりするのです。

私たちが愛という名のもとにそれを求め、論じようとするのは、恋愛の愛にほかならな

いのです。その本質は一体何なのか？　私自身は、フランスの哲学者デカルトのいう献身に近いのではないかと思っています。

デカルトはこういっています。「愛の対象を自分以下に評価するとき、その対象には単なる愛着を持つだけだ。対象を自分と同等に評価するとき、それは友愛とよばれる。対象を自分以上に評価するとき、人の持つ情念は献身と呼べる」と。

そう、この対象を自分以上に評価する献身こそ、恋愛の愛であり、私たちが愛と呼んでいるものの本質だと思うのです。**誰かを愛している時というのは、自分のすべてを捧げてもいいと思っている**のではないでしょうか？　献身という言葉はまさにそれをわかりやすく表現してくれています。

く…………

愛とは、対象を自分以上に評価する献身

Refer to 3 hints.

ジョン・ボードリー・ロールズ
John Bordley Rawls
(1921 - 2002)
アメリカの政治哲学者。
現代リベラリズムの旗手。

01 自由とはやりたいことをやることなのか？

02 共同体における自由とは？

03 ロールズのいう現代のリベラリズムとは？

自由には変遷がある。近代の古典的自由主義は、他者に迷惑をかけない限り個人の自由を保障するというものであったが、現代社会においては、それだけでは足りない。そこで現代のリベラリズムと呼ばれる立場は、むしろ国家が積極的に個人の自由を保障すべきと訴える。たとえば、ロールズはその現代リベラリズムの旗手として、自由を最大限保障しつつも、どうしようもない格差だけは平等を重視し、是正していくことで解決を図ろうとした。

Think for 1 minute.

自由という概念は共同体が存在して以来、ずっと哲学のテーマになってきたのではないでしょうか。ということは、つまり人類がこの世に登場して以来問題になってきたテーマだといっても過言ではありません。なぜなら、人類は共同体の中で生きてきたからです。

一番小さな共同体は家族でしょう。そしてもう少し大きなコミュニティがあって、その上に国家が誕生してきたのです。では、どうして共同体があるところでは自由がテーマになるのかということですが、これは単純な話です。というのも、人間は一人ひとり異なった存在であり、それゆえにやりたいことも異なります。これが一般的な自由の定義でもあります。自分のやりたいことがやれるということです。

ところが、**共同体で生活を共にするとなると、そのやりたいことは思うように実現できなくなってしまいます。**家族の中でも、子どもはやりたいことがあっても親に制限されます。大人だって、他の家族の成員に配慮する必要があるでしょう。コミュニティならなおさらです。国家に至っては、法律や罰則をもってしてでも、個人のやりたいことを制限する場合もあります。

なぜか？　そうでないと一緒に生きるなんてことは不可能だからです。誰もが自分のやりたいこと、つまり自由を追求したらどうなるか？　それらがぶつかり合って、共同体としての生活が営めなくなってしまいます。

家族が休日にどこかへ出かけるとしましょう。その時、みんなが自分の行きたい所を勝手に主張したら、みんなで一緒に同じ所に行くのは不可能になってしまうのです。

では、共同体を前提にする限り、人は自由を実現することができないのかどうか？　そこで参考になるのが、現代のリベラリズム、いわば現代の自由に関する議論です。たとえばアメリカの政治哲学者ロールズは、格差原理を唱えることで、自由を追求した結果どうしても生じる格差だけを是正すべきだと訴えます。

つまり、基本的には**自由を実現してもいいのだけれど、その結果どうしても生じる問題だけは是正しよう**というわけです。そうした二段構えの方針だと、共同体においてもまずは自由が保障されることになります。

こんなふうに自由とは、格差の是正を前提としたやりたいことの追求にほかならないのです。

<……

自由とは、格差是正を前提としたやりたいことの追求

幸福とは何か？

Refer to 3 hints.

エピクロス
Epicurus
(341B.C.? - 270B.C.?)
古代ギリシアのヘレニズム期の哲学者。エピクロス派の始祖。

01 幸福にお金は必要か？

02 どんな時幸せだと感じるか？

03 エピクロスの説く幸福とは？

Think for 1 minute.

エピクロスの思想は、一般的に快楽主義だといわれる。しかし、この表現には誤解がある。なぜなら、エピクロス派と呼ばれる人たちが目指す快楽は、決して放蕩者の官能的快楽ではないからだ。そうではなくて、彼らのいう快楽とは、肉体において苦しまないことと、魂において混濁しないことを指している。むしろ「魂において混濁しないこと」、つまり心の平静不動を意味するアタラクシアこそが理想の状態だとしたのである。

こんなに当たり前で、こんなに難しい問いはないと思います。幸福とは何か。なぜなら、私たちはあくまで幸福を感じるのであって、それが何なのかということを考えることはありません。幸せだなあと感じるか、そうでないかのいずれかなのです。幸せになりたい人はいますが、それは誰かと結婚したいとか、お金持ちになりたいとか具体的な望みを叶えたいということであって、幸福が何かという問いとは少し異なるのです。

それでも**一般には、幸福とは自分の望みが叶った状態**だと思われています。はたして本当にそうなのかどうか。たとえば、お金が欲しいと思った人が、うまくいってどんどんお金が入ってくる状態になったとしましょう。これでもか、これでもかというほどお金が入ってくる。もうそのお金をどう使えばいいのかもわからなくなるくらい。

その時人はどう思うのか？　もしかしたらこう思うかもしれません。はて、自分はいったいなぜお金が欲しかったのかなと。これは食事に置き換えてみるとよくわかります。私もそうなのですが、食べるのが大好きなので、たくさん食べたいと思います。でも食べすぎると、もう嫌になってくるのです。

お金に限ってはそんなことないと思われるでしょう。でも、お金に不自由したことのない王様が求めていたのは、刺激です。だから王様は戦争をしたのです。決してもっとお金が欲しかったからではありません。

古代ギリシアの共同体がアレクサンダー大王によって滅ぼされた後、人々は何が幸福なのかわからなくなっていました。そこに登場したのがヘレニズム期の2つの哲学の学派でした。1つはエピクロス派。彼らは快楽こそが幸福だとしました。もう1つはストア派。彼らは逆に禁欲こそが幸福だとしました。

しかし面白いことに、いずれも**究極的に目指したのは、心の平穏**だったのです。快楽を求めたエピクロスでさえ、その先にある心の平穏を得ようとしていたなんて! 手段が違うだけで、快楽主義者も禁欲主義者も求める幸福の中身は同じだったわけです。つまり、人間にとって幸福とは必ずしも望みを叶えることではなく、むしろ「心の平穏を得る」ことなのです。それは望みを叶えずとも実現することはできます。日本の禅のように、心を無にするだけで得られることもあるのです。

そう考えると、幸福になるのはそんなに難しいことではありません。お金がないと幸福になれないなんていうのは間違いなのです。大事なのは、どんな方法を使うにしても、心を平穏な状態に保つことです。ぜひ自分なりの方法を見つけてみてはいかがでしょうか?

く…………

幸福とは、求めるものではなく、心が平穏であること

正義とは何か？

Refer to 3 hints.

ジョン・ボードリー・ロールズ
John Bordley Rawls
(1921 - 2002)
アメリカの政治哲学者。
現代リベラリズムの旗手。

01 正義の味方とは誰か？

02 正しさはあらかじめ決まっているのか？

03 ロールズのいう公平とは？

Think for 1 minute.

ロールズのいう正義とは、公正としての正義と呼ばれるように、いかにすれば公正な分配ができるかを問うものだ。ただ、公正な分配をしようとしても、人はつい自分の取り分だけは多くしてしまいがちである。そこでロールズは、自分自身の情報が遮断されてしまう状態をあえて作り出すよう説いた。そのうえで、自由を原則にしつつも、一番困っている人が最大の便益を得られるよう工夫した正義の原理によって、社会におけるバランスを取ろうとしたのである。

正義とは、正義の味方という言葉が象徴するように、まさに正しいことを貫くことだと思われているのではないでしょうか。でも、この場合、正しさとはどういうことかが問題になってきます。それはあらかじめ決まっているのかどうか。

たとえば、勧善懲悪の物語では、戦隊ものから『水戸黄門』まで、常に正しい側と悪い側が決まっています。戦隊ものでいうと、ヒーローが正しく、怪獣が悪いのです。でも、怪獣の視点から見たらどうか。ヒーローと呼ばれる人たちは、自分たちが正しいと思ってやっていることを邪魔する悪いやつらになるはずです。ここが正義の難しい点です。戦争もそうです。どちらの国も正義を掲げて戦うことがありますから。

この場合、**私たちはつい自分たちに関係の深い方の国を正しいと決めてかかる傾向があります**。アメリカとイスラム圏の国が戦争をすると、不思議とアメリカの方が正義だとあらかじめ決めてかかってしまう。そこに問題があるのです。

では、客観的に両者を比較したらどうなるのか？　おそらく私たちの目には、やりすぎの方が悪く見えるという程度でしょう。でも、実はこの視点は重要です。ヒーローだって、戦意喪失している怪獣を殴り続ければ悪に見えるはずです。つまり、正義とはバランスだといえるわけです。実際に、古代ギリシアの哲学者アリストテレスは、それを「矯正的正義」と呼びました。応報刑のように、犯罪に相応な罰を与えるのが正義だということです。他方で、アリストテレスは、「配分的正義」も唱えています。こちらは能力や功績によって財貨を受け取るべきとする主張です。しかしこれもやはりバランスだといえます。

これに関係して、**社会制度の視点から見ると、正義とは公平であること**だとも表現できます。アメリカの政治哲学者ロールズが唱えた公平としての正義がそれです。彼の場合、社会主義のように結果の平等を志向することは、かえって公平感を損なうと考えます。せっかく頑張ったのに、後からチャラにして、みんな一緒の結果にしてしまうのでは、やる気をなくしてしまうからです。

そこでロールズは、あくまで機会の平等にこだわりました。そのうえで、一番困っている人だけは何とかしてあげればいいじゃないかと。それこそが社会における正義だと考えたのです。

こうして見てみると、正義とはあらかじめ正しいとされることを貫くことでは決してないように思えます。むしろ貫いてはいけないのです。もっと**柔軟に、その都度どういう状態が一番バランスが取れているのか考え、立ち止まって悩む。それこそが本当の正義**なのではないでしょうか。

正義とは、バランスが取れているか悩むこと

希望とは何か？

Refer to 3 hints.

三木清
(1897 - 1945)
日本の哲学者。
構想力について探究した。

01 いったい何を求めるのか？

02 第一希望の意味は？

03 三木清のいう希望とは？

Think for 1 minute.

三木清によると、人間という存在は虚無の中に生きている。でも、その虚無の中にあっても、なんとか希望を見出しながら生きるのが人間だという。彼はそれを形成力という言葉で表現している。つまり、人間は希望を形成しながら生きる存在なのだ。断念を繰り返しながらも。また三木は、生きることは希望を持つことだともいう。三木自身、戦争に翻弄されながら、虚無の中であがき続けた。だからこそ生きることと希望を持つことを同視するようになったのだろう。

皆さんはどんな時に希望を抱きますか？　絶望している時？　たしかにそうですよね。絶望しているから、希望を持ちたくなる。その証拠に、一般に希望とは、絶望の反対で、何かを求めることだと思われていますよね。

絶望は望みが絶たれた状態ですから、もう何も求めることができない。その反対ということになれば、それは何かを望める状態だということになるわけです。希望が取りざたされるのは、いつもそういう絶望の状況においてです。

戦争や大震災の後、人々は常に希望を口にしてきました。コロナウイルスに苛まれている今もそうかもしれません。もちろんこのような世の中の大きな問題だけでなく、個人的に絶望の状況に陥った時にも、私たちは希望を口にします。

しかし、本当に絶望とは何かを求めることなのかどうか。特に個人の問題に置き換えるとよくわかると思うのですが、希望するというのは「第一希望」とか「希望職種」のように、割と選択を意味するようにも思うのです。なかなか絶望という状況を日常の中では想定しにくいからかもしれません。

そういえば、**日本の哲学者三木清が、希望とは断念することなのだと論じていました。**この表現は私たちの日常の感覚にも合っているように思います。たとえば第一希望という時、第二希望以下のほかの選択肢を断念していることになるからです。何かを強く希望すれば、そのほかのものは捨てざるを得ません。それが希望するということの本質であるようにも思うのです。

戦争や震災の後に希望を抱く際は、一見選択の余地などないかのようにも思います。でも、それでも何か1つのものを目指さないと、前に進むことはできないのです。現に三木清も第二次世界大戦の真っただ中で、まさに自分自身も投獄されて絶望的な状況にある中でこの言葉を発していました。

つまり私たちは、どんな過酷な状況にあっても、そしてどんなに選択肢が限られていようとも、それでも何かを選ぶことができるのであって、それをあきらめないことこそが希望と呼ばれるというわけです。

言い換えると、**命ある限り希望は残る**のです。たとえ絶望の中にあったとしても。希望の灯(ともしび)が消えてしまうのは、命をあきらめて死んでしまう時だけです。希望とは断念することである。私もこの三木の定義に賛同します。ただし、命以外はと付け加えたいと思います。命を断念することだけは、希望という言葉に矛盾するからです。

希望とは、命以外のものを断念すること

孤独とは何か?

Refer to 3 hints.

アルトゥール・ショーペンハウアー
Arthur Schopenhauer
(1788 - 1860)
ドイツの哲学者。
ペシミズムの代表的思想家。

01 孤独をもたらしている背景は？

02 一人で過ごすことのメリットは？

03 ショーペンハウアーはなぜ孤独を愛した？

Think for 1 minute.

ショーペンハウアーはあえて孤独な人生を送った。それは自由を得るためだったという。つまり、誰かといるとき、私たちは自由ではないというのだ。だから孤独になろうとしたわけである。そしてその孤独な時間を愛さないということは、自由をも愛さないということになる。もっというと、自分を愛さないということになってしまうのだ。ショーペンハウアーによると、自分に対してどれだけ価値を置くかに比例して、人が孤独な時間を持つ量が変わってくる。

孤独とは何か？

今ほど孤独が問題視される時代はありません。孤独死もそうですし、お一人様もそう。そして何よりコロナ禍で孤独に時間を過ごす人が増えているといいます。もちろんそこには様々な背景があるわけです。

特に少子高齢化や晩婚化、あるいは家族観の変化。人生百年時代というのも、孤独な時間をもたらす要因になるかもしれません。配偶者と死別したりして。またテクノロジーがそれを後押しするかのように、一人の生活を物理的には支障のないものにしています。そこに追い打ちをかけるかのように新型コロナウイルス感染症のパンデミックが起こりました。

こうして人々は、一人で生きていかざるを得ない状況になったのです。孤独な時代の到来です。でも、はたしてそれは必ずしもネガティブな状況なのかどうか。**孤独というと、どうしても私たちは寂しさと結びつけがちです。ただ、誰しも一人になりたい時がありますよね。**

一人の方が充実した時間を過ごしているように見えたり、ハードボイルドのようにかっこよく見えたりすることさえあります。ということは、もしかしたら孤独についても私たちは何か思い違いをしているのかもしれません。

現に、決して少なくない哲学者たちが、孤独を肯定的にとらえています。たとえば日本の哲学者三木清は、芸術などの表現活動に意識を集中している時は、孤独なんて気になららないといいます。そういう時は人に邪魔されたくないものです。逆にいうとこれは、孤独にならないと真の表現活動はできないということではないでしょうか。

あるいはもっと積極的に孤独の意義を説いているのが、近代ドイツの哲学者ショーペンハウアーです。なんと彼は、孤独のおかげで初めて自由になれるといいます。たしかに誰かといる時は、その人に合わさないといけませんから、その意味で自分の自由を抑え込んでいるようにも思えます。

結局、**孤独を寂しい時間だなどと思わずに、一人で自由になれる時間だととらえれば、それは急に貴重な時間になってくる**のです。つまり、孤独にはネガティブな側面と、ポジティブな側面があるように思えてなりません。

とするならば、あえてポジティブな側面に目を向けることで、不可避的に増えていく一人の時間をもっと有意義に楽しめるようになるのではないでしょうか。孤独とは必ずしも否定的なものではなく、私たちの人生を豊かにしてくれる貴重な存在でもあるわけです。

<……………

孤独とは、真の自由が得られる貴重な時間

人生とは何か？

Refer to 3 hints.

マルティン・ハイデガー
Martin Heidegger
(1889 - 1976)
ドイツの哲学者。
存在の意味を探究した。

01 人生の意味は誰もが問えるか？

02 人生は当たり前の前提か？

03 ハイデガーのいうダーザインとは？

Think for 1 minute.

人生とは何かがわかれば、もう悟りを開いたようなものですよね。哲学のラスボスのような問いです。でも、だからといってこの問いに答えるには人生経験や特殊な能力がいるかといえば、そんなことはないと思います。

ハイデガーは、今ここを生きる存在という意味で、人間のことをダーザインと呼ぶ。現存在とも訳される。これに対して、いたずらに寝食を繰り返すだけの存在を、ただの人を意味するダス・マンと呼んで区別する。ダス・マンのような生き方をしていると、人間は交換可能な誰でもいい存在になってしまう。だからハイデガーは、そのような生き方は非本来的であるとして、ダーザインのような本来的な生き方をすべきと説いた。必然的にそれは死の先駆的覚悟を要求するものとなる。

なぜなら誰もが人生を生きる当事者だからです。年齢も経験も関係ありません。その人なりに人生を生きているのですから、それぞれの答えがあるはずです。むしろこの問いは万人が考えるべきものだといってもいいでしょう。

日頃私たちはそんなことを意識せずに生きています。 朝起きてから寝るまで、ただ漫然と。おそらく人生とは当たり前の前提であって、当然のように与えられたものだと思っているからでしょう。ボールを使って遊びましょうといわれた時、なぜそもそもボールなのかと問う人はほとんどいません。誰もが当たり前のように、ボールの使い方を考えます。

ただ、ごく稀に、なぜそもそもボールなのかを問う人がいるのです。そういう人は哲学に向いています。ふと立ち止まって、一見当たり前の前提を疑える人です。人生も同じなのです。それは問うことのできない当たり前の前提であるかのように見えて、決してそうではありません。

もし当たり前のものだとするなら、どうしてそれが与えられない人や、突然奪われてしまう人がいるのか。それでは当たり前のものとはいえません。すごく貴重なもののはずです。そう、人生は奪われうるものなのです。

ドイツの哲学者ハイデガーは、ただ漫然と生きる人生のことを非本来的な生と呼んで批判しました。それはダス・マン、つまり俗人の生き方だと。それに対して本来的な生とは、死を意識してもっと懸命に生きるダーザインの生き方だというのです。

言い換えるとそれは、**人生を突然奪われる可能性のあるものとして貴重に感じながら生きる態度**です。そう考えると、人生とは決して当たり前の前提ではなくなります。むしろ貴重なチャンスととらえて、最大限輝かせるべく努力する対象であるように思えてきます。

残念ながらそのことに気づくのは、いつも人生がほとんど奪われてしまった時です。余命を知った時のように。だから私たちは、常に人生の意味を考えなければならないのです。

人生とは、最大限輝かせるべく努力する対象

民主主義とは何か？

Refer to 3 hints.

マルクス・ガブリエル
Markus Gabriel
(1980 -)
ドイツの哲学者。
新実在論の提唱者。

01 民衆の力とは何か？

02 多数決の意味とは？

03 ガブリエルのいう反対派の共同体とは？

Think for 1 minute.

ガブリエルは民主主義の意義として、それが反対派の共同体であることに着目している。民主主義である以上、そこには必ず意見の対立が存在する。常に多数派と少数派に意見が分かれることが予定されているのだ。だから反対派の共同体にならざるを得ない。しかし重要なことは、その反対派の声を必ず聞き入れようとする態度である。そうでないと、全体主義を招来してしまうからである。ガブリエルにいわせると、民主主義を破壊するのは、ほかでもない複数性を軽視する私たち自身なのだ。

日本ほど民主主義を誤解している国はないでしょう。もともとは英語でいうとデモクラシーの訳語であり、そのデモクラシーは古代ギリシア語で民衆を意味するデモスと、力を意味するクラティアの合成語です。つまり、民主主義とは民衆の力を重視する政治思想なのです。

それが制度化されて、あたかも多数決で物事を進めていくものであるかのように思われています。しかし、本来はそうではない点に注意が必要です。日本のように有史以来天皇制が存在し、そのもとに天皇の権力を代行する幕府や政府が実権を握ってきた歴史の中においては、なかなか民衆が力を持つということの意味が理解されにくいのでしょう。

考えてみれば、日本が民主主義を手にして、まだ１００年も経っていません。その後も天皇制や保守政党の一党支配が続く中、なかなか民主主義を実感できないのが現実です。この国に革命が起こったことがないのもそれに影響しているかもしれません。

だから**民主主義はあたかもセレモニーのように思われてしまっている**のです。つまり選挙の投票行為や議論における多数決です。しかし、本来の民主主義は、民衆が力を発揮して国家を運営していく点にあります。その力というのは、武力のことではなく、あくまで話し合う力のことです。

人間には話し合う力があります。それを発揮するのが民主主義なのです。そうでなければ、声の大きい人、力の強い人が支配することになるでしょう。でも、それでは動物の世界と同じです。弱肉強食の。人間はそうではないと思うのです。

ドイツの哲学者ガブリエルが、民主主義というのは反対派の共同体だといっています。つまり、人間社会には常に複数の意見、異なる意見があるはずです。それを許容し、話し合うことで合意できる点を探っていく。それこそが民主主義の本質にほかならないのです。

反対派のいない共同体は全体主義でしょう。そこでは話し合いなど存在しません。だから民主主義は話し合うことに意義があるのです。多数決は時間制限のためにやむなく取られる苦肉の策にすぎません。よく民主主義の弱体化が叫ばれますが、**話し合う力を育てない限り、民主主義の活性化はあり得ません**。くれぐれも投票というセレモニーだけが民主主義だと勘違いしないようにしたいものです。

く…………

民主主義とは、異なる意見を許容するために話し合う力

大人とは何か？

Refer to 3 hints.

ゲオルク・ヴィルヘルム・
フリードリヒ・ヘーゲル
Georg Wilhelm Friedrich Hegel
(1770-1831)
ドイツの哲学者。ドイツ観念論を
代表する思想家。

01 いつから大人になるのか？

02 なぜ18歳選挙権に？

03 ヘーゲルのいう市民社会の成員とは？

Think for 1 minute.

ヘーゲルは家族を愛の共同体と位置付けている。つまり、家族は市民社会、国家へと発展する共同体の1つの形態なのだが、他の共同体とは異なり、そこには愛が貫かれているわけである。もちろん、この場合の愛とは、親が子どもを愛するということである。ただ、その愛によって、子どもを一人前の市民社会の成員に育てることが家族の目的であるとされる。こうして家族は解体され、市民社会を経て、やがては国家へとつながっていく。

日本では成人は20歳以上の者とされていますが、イコールいわゆる大人といっていいのかどうかは議論があります。荒れる成人式などを見ているとつくづく疑問に思いますよね。大人の定義は本当に難しいものです。その証拠に成人になる年齢は時代と共に変わってきているからです。たとえば、中世の大人になる儀式「元服」はだいたい16歳くらいまでに行なわれていました。動物なら身体が成熟すれば大人とみなすのは簡単ですが、人間の場合は社会的生き物なので、社会の変化によって大人の定義も変わって来ざるを得ないのです。

だとすると、時代の変化が激しい今は、大人の定義も年々変わるといっても過言ではないでしょう。**社会が複雑になれば、それに対応していける年齢は変化していくのが一般的**です。日本のように少子高齢化が進んでいくと、若い人にも大人として活躍してもらわなければならない場面が出てきます。

その最たる例が選挙権だといえます。若い人の数が相対的に少ないと、投票結果、ひいては政治も高齢者に有利になっていきます。いわゆるシルバー民主主義と呼ばれる問題です。そこで18歳選挙権が導入されたわけです。

たしかに近代ドイツの哲学者ヘーゲルのいう市民社会の成員とは、やがて国家を担う人材のことを指していました。そしてそれは家族における子どものうちから、すでに教育の目的とされてきたものです。つまり人は、大人になるべくして生きてきたともいえるのです。

とするならば、**大人とは形式的に何歳になったとか、身体的にどこまで成長したかとかが問題なのではなく、むしろ社会を担える能力を持つに至ったかどうかこそが問われるべき**なのです。

そして社会を担うということは、何が起こるか適切に予測したうえで、正しい方向を見定め、かつそれが間違っていた時に責任が取れるということだと思います。これは逆に考えてみれば明らかでしょう。子どもにこうした責任を負わせるのは酷（こく）だと感じるはずです。

とりわけこの責任の部分が重要です。子どもだって自分がやったことには責任を負わなければなりませんが、**他者の分まで責任を負わなければならないのが大人の使命**です。だから大人になるには十分な準備がいりますし、みんな大人になりたがらないのでしょうね。

く…………

大人とは、他者の分まで責任を負うこと

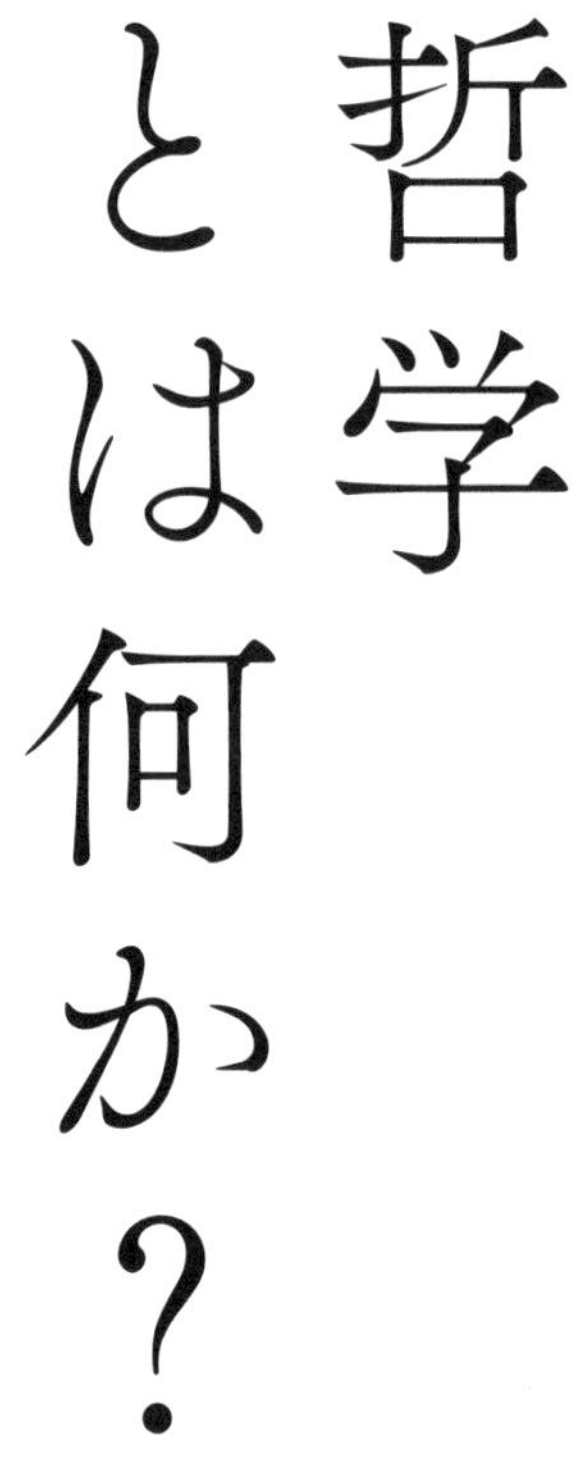

Refer to 3 hints.

ソクラテス
Socrates
(470B.C.頃 - 399B.C.)
古代ギリシアの哲学者。哲学の父とも称される。

01 哲学するということと、人生哲学とは異なる？

02 哲学と普通の思考の違いは？

03 ソクラテスが哲学に込めた意味とは？

ソクラテスは、知を愛するという営みのことを哲学と呼んだ。そして知を愛し求め続けるためには、無知であることを肯定的に受け止める必要があったのだ。そうした態度こそが「無知の知」として知られるものである。だからこそ彼は、偉そうに答えを教えるのではなく、人が自ら真理を導き出すための手助けしかしなかったのである。哲学とはこのようにきわめて謙虚な態度に基づいている。謙虚に問うことで、思い込みを乗り越え、新たな答えを導き出す営みである。

Think for 1 minute.

哲学とは何か？　これは私にとってあまりにも大きな問いです。まずは一般的な答えを示しておきましょう。哲学とは物事の本質を探究することなどと記されています。たしかにその通りです。物事の本質を暴くのが古代ギリシア以来の哲学の使命であったといっても過言ではありません。だから哲学は、考古学のように古いものを探し当てる学問であるかのごとく誤解されてきたのです。歴史上の哲学者が書いた文章に答えがあるはずだと。しかし、あえてその当たり前を疑ってみましょう。そうするとどうなるか？

まず考えられるのは、哲学とは必ずしも物事の本質を暴く行為ではなくなります。そもそも「これが私の人生哲学だ」というような人には、哲学は本質の探究ではなくて、一番大事にしていることといったニュアンスを意味する語のようです。

日常でも、「哲学的」という時、それはあくまでよくわからない、深いという意味を表すにすぎず、決して物事の本質を意味してはいません。むしろ「よくわからない」とか「難しい」という言葉の代名詞として使われることが多いのではないでしょうか。

哲学が思考を意味しているのは間違いないでしょう。しかし、どうやらそれが普通の思考とどう違うのかという視点からとらえ直してみる必要がありそうです。その点、**普通の思考は論理的に物事を推論していって、結論に至るものと考えるのが一般的**です。いわばこれは情報処理なのです。

これに対して、**哲学は単なる情報処理とはいえません。**なぜなら、論理的に推論することもあれば、それを超えて直感的に考えたり、経験に基づいて独自の視点でとらえたりするからです。さらにはそうして様々な次元でとらえ直した結果を、再構成して言葉で表現しようとします。ここが哲学の特徴なのです。

考えてみれば、哲学の父とも称される古代ギリシアのソクラテスが唱えた哲学は、「知を愛する」という意味でした。つまり、決まった答えを受け止めるのではなく、知を愛し、求め続ける態度こそが哲学なのです。

その意味で、まず疑う。そのうえで様々な視点でとらえ直し、それらを再構成して言語化する。それこそが哲学なのです。とするならば、それはすでに存在する本質なるものを発掘する作業でも、単なる情報処理でもなくて、あくまで創造的な営みであるということがいえます。

そう、**哲学とは考え抜くことによって、世界を新たな言葉でとらえ直す営み**なのです。言い換えるとそれは、普通に考える際の情報処理を超えて、常識の枠組みにとらわれることなく考えるクリエイティブな営みにほかならないわけです。

〈…………

哲学とは、常識の枠組みを超えて物事を考えるクリエイティブな営み

おわりに　1分間の思考が世界を変える

一気に様々なテーマについて思考したので、本書を書き始める前と、今とでは世界がだいぶ違って見えます。いずれの項目でも普段常識として受け入れている言葉を、あえて違った視点でとらえて、認識を改めたわけです。

そのおかげで、世界のとらえ方が変わり、なんだか世界が豊かになったような気がします。もちろん実際の世界は何も変わっていないのですが、そこに生きる私の見方が変わったがために、私にとっては世界が豊かになったということです。

言い換えるとそれは、日常が断然面白くなったということです。薄っぺらい世界で生きるより、豊かで意味深い世界に生きる方が面白いに決まっていますから。皆さんも自分なりに世界観を変えてみてはいかがでしょうか。

そんなふうにいうと、単なる自己満足じゃないかと思われるかもしれませんが、決してそんなことはありません。自分の世界のとらえ方が変わると、そこに働きかける態度や方法も変わってきます。

たとえば本文で書いたように、SNSを批判への開かれととらえると、おかしいと思ったことに対しては、これまでと違ってより堂々と意見を発信できるようになります。ささやかではありますが、その一言が社会を変えるきっかけになるかもしれません。あるいは希望とは命以外のものを断念することだととらえると、難しい決断に対しても、自信と勇気をもって臨めるようになるのではないでしょうか。

こんなふうに、たった1分間の思考が世界を変えるのです。この言葉が大げさなものでないことは、すでに本書を読んでいただいた皆さんにはわかっていただけるはずです。ぜひ皆さんも試してみてください。

2年目に突入するコロナ時代の元日に

哲学者　小川仁志

〈著者略歴〉

小川仁志（おがわ・ひとし）

1970年、京都府生まれ。哲学者・山口大学国際総合科学部教授。京都大学法学部卒、名古屋市立大学大学院博士後期課程修了。博士（人間文化）。商社マン（伊藤忠商事）、フリーター、公務員（名古屋市役所）を経た異色の経歴。徳山工業高等専門学校准教授、米プリンストン大学客員研究員等を経て現職。大学で課題解決のための新しい教育に取り組む傍ら、「哲学カフェ」を主宰するなど、市民のための哲学を実践している。また、テレビをはじめ各種メディアにて哲学の普及にも努めている。NHK・Eテレ「世界の哲学者に人生相談」では指南役を務めた。最近はビジネス向けの哲学研修も多く手がけている。専門は公共哲学。著書も多く、ベストセラーとなった『7日間で突然頭がよくなる本』（ＰＨＰエディターズ・グループ）や『ジブリアニメで哲学する』（ＰＨＰ文庫）、『孤独を生き抜く哲学』（河出書房新社）をはじめ、これまでに約100冊を出版している。YouTube「小川仁志の哲学チャンネル」でも発信中。

デザイン　西垂水敦（krran）

イラスト　桜井勝志

1分間思考法

素早く深く考えられる哲学思考トレーニング

2021年3月2日　第1版第1刷発行

著　者　小川仁志
発行者　岡　修平
発行所　株式会社ＰＨＰエディターズ・グループ
〒135-0061　江東区豊洲5-6-52
☎03-6204-2931
http://www.peg.co.jp/
発売元　株式会社ＰＨＰ研究所
東京本部　〒135-8137　江東区豊洲5-6-52
普及部　☎03-3520-9630
京都本部　〒601-8411　京都市南区西九条北ノ内町11
PHP INTERFACE　https://www.php.co.jp/
印刷所
製本所　図書印刷株式会社

ISBN978-4-569-84863-1

PHPエディターズ・グループの本